D0808829

Conspiration autour d'une chanson d'amour

DE LA MÊME AUTEURE

Les mouches pauvres d'Ésope, Montréal, Les Éditions XYZ, coll. « Romanichels », 2004.

Eldon d'or, Montréal, Les Éditions XYZ, coll. « Romanichels », 2006.

Les cages humaines, Les Éditions XYZ, coll. « Romanichels », 2010.

Émilie Andrewes

Conspiration autour d'une chanson d'amour

roman

Catalogage avant publication de Bibliothèque et Archives nationales du Québec et Bibliothèque et Archives Canada

Andrewes, Émilie, 1982-

    Conspiration autour d'une chanson d'amour

    (Romanichels)

    ISBN 978-2-89261-741-2

    I. Titre. II. Collection: Romanichels.

PS8601.N45C66 2013   C843'.6   C2013-940099-0
PS9601.N45C66 2013

Les Éditions XYZ bénéficient du soutien financier des institutions suivantes pour leurs activités d'édition:
– Conseil des Arts du Canada;
– Gouvernement du Canada par l'entremise du Fonds du livre du Canada (FLC);
– Société de développement des entreprises culturelles du Québec (SODEC);
– Gouvernement du Québec par l'entremise du programme de crédit d'impôt pour l'édition de livres.

L'auteure remercie le Conseil des arts et des lettres du Québec pour son soutien à l'écriture de ce livre.

Conseil des arts
et des lettres
Québec

Édition: Josée Bonneville
Conception typographique et montage: Édiscript enr.
Graphisme de la couverture: René St-Amand
Illustration de la couverture: Korionov, shutterstock.com
Photographie de l'auteure: Martine Doyon

ISBN version imprimée: 978-2-89261-741-2
ISBN version numérique (PDF): 978-2-89261-765-8
ISBN version numérique (ePub): 978-2-89261-766-5

Dépôt légal: 1er trimestre 2013
Bibliothèque et Archives nationales du Québec
Bibliothèque et Archives Canada

Diffusion/distribution au Canada:
Distribution HMH
1815, avenue De Lorimier
Montréal (Québec) H2K 3W6
www.distributionhmh.com

Diffusion/distribution en Europe:
Librairie du Québec/DNM
30, rue Gay-Lussac
75005 Paris, FRANCE
www.librairieduquebec.fr

Imprimé au Canada

www.editionsxyz.com

Comment notre âme peut-elle
être à ce point bouleversée par un
rien?

GEORGES SÉFÉRIS,
Six nuits sur l'Acropole

Emmanuelle Archebishop

Emmanuelle Archebishop avait trente-deux ans. Elle avait hérité du célèbre flegme britannique de l'un de ses ancêtres anglais, complice de la reine Élisabeth Ire. Écrivaine réservée, elle gardait pour elle ses idées floues et n'avait ainsi d'influence sur rien ni sur personne; Dieu l'en préservait. Dix ans plus tôt, un mari lui avait glissé des mains le jour même où elle devait l'épouser. Elle faisait de l'humour avec le moindre rien, mais pas avec cet événement absurde. Le livre d'Harold Pinter, *Les nains*, la faisait hurler de rire dans l'autobus, au point où elle pouvait en frapper ses voisins de banquette. En contrepartie, elle avait une peur bleue de l'œuvre entière de Marguerite Duras. Elle fuyait ses livres comme la fièvre aphteuse. Elle n'en avait lu qu'un seul, pourtant. Elle avait alors vingt ans. Dans une librairie, elle avait pris innocemment un petit livre mince sur lequel figurait le visage ridé de l'auteure. Plume en l'air, la femme lui avait inspiré confiance. Avoir su qu'il fallait s'en méfier, elle aurait jeté le livre au bout de ses bras! Ce livre, qui s'intitulait *Écrire*, l'avait beaucoup perturbée, la conduisant même au saccage d'un bâtiment municipal. Les questions que Duras y posait avaient provoqué en elle des effets mystérieux. Elles l'avaient laissée hagarde, assoiffée, perdue. Elle n'était d'ailleurs pas la seule à réagir aussi fortement. Des portées d'émules avaient vu le jour à la suite de la lecture de livres de Duras. Ils parcouraient les lieux où elle avait vécu, à Paris, rue Saint-Benoît, ou encore à Saigon. Duras attrape tout sur son passage, comme le ferait une flaque de mercure. Quand on referme l'un de ses livres, inévitablement on se demande ce qui vient de se passer. On se met à l'imiter ; elle s'est immiscée en nous. Il faut alors lutter contre les mièvreries qui sortent de notre stylo. Dieu seul connaît toutes les âmes perdues qui, vouées à de brillants avenirs, ont sombré à tout jamais dans les limbes durassiens. Plusieurs ont d'ailleurs péri à force d'essayer d'écrire comme elle. Emmanuelle ne voulait pas courir ce risque, quitte à passer à côté de la grâce. C'est pourquoi elle maintenait impérativement la plus grande distance entre elle et *L'amant*, *Le ravissement de Lol V. Stein* ou la couverture d'*Hiroshima mon amour*. Dans les rayons d'une bibliothèque, rendue à Dumas Alexandre, elle s'enfuyait, par précaution. Elle flairait les durassiens des kilomètres à la ronde, avec leurs grosses lunettes, leur passeport dépassant de la poche de leurs jeans et leurs tatouages de brins d'herbe d'Indochine sur les poignets.

Les Archebishop étaient écrivaines de tante en nièce, allez donc savoir ce qui clochait dans cette famille. Lors d'un voyage au Pérou, au début du xixe siècle, l'une des arrière-grands-tantes d'Emmanuelle, amatrice d'archéologie et de paléographie, avait découvert une momie tisserande dans la vallée désertique de Santa, non loin de Trujillo. La momie, enterrée mille quatre cents ans plus tôt, gisait dans un sac de coton, sous quelques pieds de sable, entourée des objets nécessaires à sa vie dans l'au-delà : des fuseaux à filer, des bijoux et un disque d'or fragmenté par le temps, accroché à son cou de cuir. Après l'avoir déterrée, la tante s'était appuyée trop fortement sur elle et, le temps d'une respiration, s'était retrouvée la main dans sa cage thoracique. Émue, elle avait ressorti sa main lentement, ne voulant pas déchirer la peau davantage, et elle avait alors senti les côtes fines de la morte sous ses doigts. Cela avait laissé d'énormes séquelles chez elle, tel un amour mystique pour l'or dont elle avait sans cesse recherché l'éclat par la suite. Une équipe d'archéologues avaient pris le relais et avaient découvert que la momie tisserande était inhumée sous la place publique d'une ancienne cité. C'est comme si, de nos jours, on enterrait une couturière de renom au beau milieu de la rue Sainte-Catherine. Emmanuelle savait qu'un jour un archéologue pourrait lui défoncer la poitrine et la sortir de son repos éternel. De cela, tous les Archebishop étaient conscients depuis la vieille tante mythique.

À l'instar des protons qui nous composent, qui apparaissent puis disparaissent en se téléportant dans une autre dimension, il y eut un glissement sémantique du tissu vers le texte, et ce glissement entraîna des conséquences monstres sur les femmes de la famille. La momie étant tisserande, l'arrière-grand-tante devint écrivaine. Elle retravaillait son texte de la même façon que cette femme péruvienne, 400 ou 600 ans après J.-C., fabriquait ses vêtements et ses sacs de tissu. Tisser, défaire, écrire, déchirer. Écrire était donc venu à Emmanuelle aussi naturellement qu'un éternuement au printemps.

Il y a dix ans, la vie d'Emmanuelle avait basculé. Le 8 octobre 2002, de retour d'Europe après son mariage avorté, elle avait fait paraître son unique roman, *Le lac gelé*, qui était en fait le récit camouflé des derniers instants de son grand frère, Alexandre, mort en 1995. Quatre jours après son lancement, Marthe, la sœur de sa mère Marina Archebishop, avait été retrouvée morte. Cette tante, ex-mannequin et auteure de romans policiers, avait été assassinée par son mari délirant, Gauthier Nikitas, un grand designer qui avait été son directeur de défilés. Il avait alors soixante-seize ans, vingt de plus qu'elle. Il aurait voulu, selon ses dires, la célébrer en lui faisant exploser une bouteille de champagne sur la tête, dans leur grand loft blanc de Westmount, comme on le fait sur un bateau en lui souhaitant bon voyage. Un geste beaucoup trop violent, empreint d'excitation. Un avocat lui avait fait plaider la sénilité; il n'y avait pas eu de procès. Il avait été enfermé dans un hospice de l'est de Montréal, où il avait une chambre à lui, une cuisinette et même un petit salon privé.

Jadis, leur amour avait été très grand et il avait fait rêver des générations de jeunes. Après le drame, les magazines avaient ressorti des photos de leur époque glorieuse, tous les deux éblouissants, riches et célèbres et, en contrepartie, celles de leur vieillesse : lui, édenté, les cheveux gris épars et le regard louche, et elle, transformée par la chirurgie plastique. Après avoir pris sa retraite comme mannequin, à quarante ans, et jusqu'au moment de sa mort, à cinquante-six ans, Marthe avait publié six polars la mettant en scène, elle et ses anciennes copines de défilés. Son succès avait été énorme. Sa renommée et son démon de midi l'avaient amenée à fréquenter de jeunes hommes admiratifs, pas tous majeurs. À sa mort, tous savaient qu'elle travaillait à un nouveau roman. Plusieurs disaient que Gauthier l'avait fait disparaître pour éviter qu'elle termine un manuscrit sans doute incriminant, révélant de multiples scandales liés à des maîtresses et à des fraudes. En fait, personne n'en savait rien, mais les supputations allaient bon train, d'autant plus que le manuscrit avait disparu.

Le jour de l'assassinat, les ambulanciers avaient découvert, dans le loft, des éclats de verre, le cul d'une bouteille et une large flaque de champagne près du corps de la victime. Marthe, cette splendide femme blonde, cette véritable bombe de féminité, avait immédiatement été sortie sur une civière, dans la première vraie absence d'esthétisme de sa vie. Le botox lui tenait les joues au frais, les chirurgies plastiques lui garantissaient un sourire éternel et ses faux seins étaient *jackés ad vitam æternam*. Tous les morceaux de sa construction, cependant, s'étaient un peu déplacés, un peu à gauche, un peu à droite. L'homme aux cheveux gris, Gauthier, le célèbre designer, immobile dans son pantalon Calvin Klein souillé jusqu'aux chevilles par les détritus de la mort, tournait le dos à la scène, ne regardant ni ne parlant à personne. Il restait adossé à la porte du salon. Il avait été son mari de tous les jours, mais de cela, ni de rien d'autre, il ne se souvenait. Ou, du moins, il feignait de ne pas s'en souvenir et d'avoir été déstabilisé par le drame. Il hochait la tête, pressant les gens de s'en aller et simulant une envie d'en conclure avec la vie. C'était une mise en scène parfaite, comme la vie en orchestre parfois dans les cafés ou sur les pistes de danse. Les policiers l'avaient emmené au poste. Emmanuelle connaissait peu Gauthier, puisqu'elle ne voyait le célèbre couple qu'aux fêtes, mais elle n'avait pas cru à la thèse de la sénilité. Dérangé, Gauthier l'était, mais sa tête, il l'avait encore. Elle avait tenté de se rappeler des faits.

Quelques jours avant sa mort, Marthe lui avait raconté, au téléphone, que pour endormir son mari, fou et terriblement angoissé par sa folie, elle lui lisait des histoires.

— Quelles histoires ? lui avait demandé Emmanuelle.

— Je lui lis mon dernier manuscrit, avait répondu Marthe avec sa voix grave, enrouée par la fumée de cigarette. Il est rendu presque sourd, le pauvre. Je lui hurle ses propres débauches dans les oreilles et il ne fait que sourire bêtement, ou baver !

Gauthier avait vu le drame se pointer, il ne pouvait laisser sa femme tout révéler au grand jour. Emmanuelle n'avait pas mis sa tante en garde. D'ailleurs, comment aurait-elle pu prévoir ce qui allait se passer ? Et c'est dans leur appartement, dans leur grand et luxueux loft blanc d'un quartier huppé de Montréal, qu'il avait asséné le coup fatal avec la bouteille. Emmanuelle voulait absolument retrouver le manuscrit qui avait amené sa tante à la morgue et qui avait enfermé Gauthier dans un hospice.

Quand Emmanuelle avait appris la mort de sa tante, quatre jours après son propre lancement, elle avait tourné en rond comme un gorille en cage, ou comme une adepte de Duras dans Saint-Germain-des-Prés, dans un état avancé de doute, sans trouver de solution, sinon la fuite. La presse écrite s'était emparée du sujet et une pluie d'articles sur la fin dramatique de Marthe Archebishop avait accaparé les journaux. De son roman, on n'avait révélé l'existence que dans des publicités payées par sa maison d'édition. Incapable, à l'époque, de faire le ménage dans le loft de sa tante, avec l'arrière-pensée d'y découvrir son dernier manuscrit, Emmanuelle avait remis cette tâche à plus tard et avait décidé de quitter Montréal et ses journalistes, pour se libérer des chants macabres qui carillonnaient dans sa tête. Elle avait sauté dans un train et était allée refaire sa vie incognito à Villa-Cruz où, avec l'héritage que lui avait légué sa tante, elle avait loué un petit appartement. À la campagne, les oiseaux et la verdure lui soufflaient des poèmes de Prévert à longueur de journée. Quand elle s'appuyait sur le rebord de sa fenêtre et qu'elle pensait à sa tante, elle ressentait tant de douleur qu'elle croyait s'appuyer sur ses propres os cassés. Elle regardait alors la série noire de Marthe A., six romans qui se tenaient appuyés l'un sur l'autre dans sa bibliothèque, entre les Simenon et les Agatha Christie jaunis.

Villa-Cruz était un village dans Lanaudière, situé entre Venise-sur-Mer et Roma Escondido. Il était peuplé de furets, de belettes sanguinaires, d'ours noirs et de coyotes cabotins qui traversaient la rue en direction de la petite épicerie ou du dépanneur de la station-service et qui se battaient avec les chiens dans les sentiers pédestres. Loin de la ville et de ses lignes de métro, ce village accueillait des nouvelles familles, des retraités et les jeunes paumés qui ne pouvaient se payer des résidences à la ville. Tout était à bâtir, et les années quatre-vingt avaient vu la construction d'un pénitencier en périphérie. Dans ce village, on retrouvait des amis perdus, des âmes errantes, des gens de sa famille, parfois. Les gens s'y découvraient autrement. Les pompiers étaient des volontaires et les infirmières, des sages-femmes. Les personnes âgées méritaient le respect, car elles savaient faire pousser les carottes et les betteraves. Seuls les policiers avaient été recrutés en ville, et cela se voyait. Ils se promenaient en balançant fièrement leur matraque, lunettes fumées sur le nez, jouissant de leur prime d'éloignement. Au centre du village serpentait la rivière Noire que les plus futés utilisaient pour se déplacer. La rivière recelait tant de trésors : tableaux, peintures, fresques anciennes, poteries iroquoiennes ou algonquiennes, squelettes humains remontant ici et là dans le poétique dégel du printemps québécois.

En dix ans d'exil à Villa-Cruz, Emmanuelle avait eu le temps de créer des liens solides. Elle se sentait là chez elle. Elle pratiquait le tennis et l'équitation et, l'hiver, le ski de fond avec les membres d'un club qu'elle avait fondé. Elle recevait parfois des amis pour le thé. L'été, ils le prenaient au jardin et l'hiver, ils finissaient toujours par boire du whisky devant la cheminée. Bien vite, Emmanuelle n'avait pu résister à l'envie de développer, parallèlement à son travail d'écrivaine, un réseau de contrebande de cigarettes. Elle adorait distribuer ces outils de combustion, de brûlure. Elle aimait trimballer des cartouches contenant ces petits bâtons criminels. À première vue, quoi de plus inoffensif qu'une rangée de cigarettes : de l'herbe brune insérée dans une fine robe blanche. Le village se prêtait trop bien à ce trafic. Tout était en place : les canots, la rivière et les fumeurs ! Il suffisait de mettre la main à la pâte. L'envie de faire partie d'une cause perdue et d'une communauté de contrebandiers avait été trop forte pour qu'elle puisse y résister. Elle y était d'ailleurs prédestinée puisque, dès l'âge de dix ans, elle fumait des allumettes. Elle en allumait une, l'éteignait et la mettait dans sa bouche pour en respirer la fumée. Elle avait par la suite fait sécher tous les végétaux des champs et les avait roulés dans du papier d'aluminium. C'était extrêmement toxique, mais le goût de métal ne lui déplaisait pas et, en plus, ça tenait tout seul. Elle avait ensuite utilisé des feuilles de papier, maintenues roulées avec du ruban adhésif. Autre belle toxicité : de la colle. Les cigarettes artisanales les rendaient, sa sœur Kate et elle, des plus heureuses. Il n'y avait cependant pas de plus beau cadeau de la vie qu'une vraie cigarette demandée à un marcheur, clandestinement, par une belle journée d'été. Cette irrésistible attirance pour ce qui se fume s'était étiolée à la fin de l'adolescence, alors qu'il n'y avait plus ni clandestinité ni interdit et qu'il ne restait qu'une damnée dépendance. Elle avait arrêté vite fait. Renouer par la suite avec la chose tant aimée lui avait fait perdre la carte. Emmanuelle s'était fait prendre en plein assaut, car elle avait l'insouciance évidente, comme un collier de bourdons attaché à la tuque.

Elle était une habile canoéiste. Elle rapportait au village, par la rivière, des dizaines de cartouches de cigarettes par semaine à partir de la réserve. Les Amérindiens étaient de furieux producteurs de tabac. Leurs plants avaient une hauteur inégalée et une teneur ahurissante en pesticides. Emmanuelle se déplaçait toujours en canot, car c'était le seul moyen de transport qui lui permettait de balancer ses cargaisons au large quand les sirènes de police retentissaient sur la route. Parfois, c'étaient les feux rouges et bleus d'une voiture de police, aperçus dans la pénombre, qui lui mettaient la puce à l'oreille. Elle savait alors que les policiers l'observaient dans le noir, sirènes éteintes. Dix-neuf heures était son heure préférée pour voguer, alors que la lumière bleue pure s'étendait sur l'eau du lac et que les vacanciers étaient rentrés faire à manger dans leur maison ou sur un barbecue fumant dans leur cour. Elle avait essayé de naviguer la nuit, ainsi que très tôt le matin. Ces fois-là, elle s'était perdue sur les ténèbres du lac, pourchassée par de folles idées au sujet de sa tante.

Des écrivains chevronnés lui avaient dit : « Tu es la réplique de M. Il n'y a rien d'original dans ce que tu écris. » Emmanuelle admirait sa tante. Elle apportait ses polars partout avec elle pour les relire jusqu'à la déraison. Son préféré était le premier, un roman brutal sur la noirceur des *garden-partys* britanniques et sur les techniques antiques d'empoisonnement. Il était aussi un vibrant hymne aux sandwiches beurre et concombre, et Emmanuelle se tapait la tête sur les murs par fierté envers les Archebishop, la famille de sa mère, et par jalousie. Elle aurait voulu écrire ces pages de sombres trahisons : crime autour d'un pain mou, noyade à l'anglaise, assassinat d'un portier allemand sur fond de petit pot de beurre, étranglement par croûte de pain de seigle, consommation d'un gros sandwich, sans se tacher, en compagnie d'une belle Anglaise. Elle aurait su le faire. Pour parler de crâne ou de sandwich, demandez à une Anglaise. Mais non, oh non ! On n'écrit pas deux fois sur les sandwiches, dans une même famille, non, du moins pas à l'intérieur de cent ans. Pas chez les Archebishop, les orgueilleux et discrets Archebishop.

Emmanuelle s'était fait prendre par surprise, le dernier jour de septembre, dans l'exercice de ses fonctions de contrebandière. Cette fois-là, elle n'avait pas vu les voitures de police avançant vers son lieu de débarquement. Les policiers l'attendaient sans doute depuis longtemps, car elle avait retardé l'heure du départ à 20 h. Elle avait débarqué de son canot, puis avait poussé un cri de mort quand un policier avait surgi des buissons. Elle avait ensuite défait son gilet de sauvetage et avait lancé les paquets de cigarettes à l'eau, ce qui avait déçu les policiers qui voulaient s'en faire des réserves. L'ombre des épinettes était menaçante. Les faucons tournaient leur tête vers les petits mammifères endormis dans leur terrier, et le vent froid soulevait des nuages de terre sèche vers les cieux, insondables et preneurs de vie.

Un policier lui avait dit, en lui passant les menottes :

— Madame, vous êtes en état d'arrestation pour contrebande de cigarettes.

Emmanuelle n'avait rien répondu. Elle connaissait le centre de détention à l'extérieur du village et n'avait pas du tout envie de s'y retrouver. Elle avait exploré ses possibilités de fuite. Sitôt pensées, sitôt rejetées.

Un autre policier avait dit :

— C'est un cas pour la rééducation.

— Pour la quoi ? avait-elle demandé en fouillant dans ses poches.

— Vous aurez l'occasion de le découvrir.

Elle avait essayé de se croiser les bras, en vain, les menottes s'entrechoquant. Elle avait alors demandé, pour faire diversion :

— On ne serait pas cousins ?

— Vous allez en prison. Vous en avez rudement besoin. Savons où.

— C'est regrettable. Et qui va s'occuper de mon chat ?

— Savons pas. Faudra trouver.

— Mon chat est très vieux, la séparation le tuera sur le coup.

— Vous voulez appeler quelqu'un ?

— Non, je n'ai pas de chat, alors à quoi bon ?

Un policier avait regardé s'éloigner les cartouches mouillées.

— Et combien vous les vendiez, vos cartons?

Emmanuelle avait gardé pour elle ce détail secret, par précaution. Elle avait pensé se jeter la tête la première à l'eau pour tenter de regagner l'autre rive, mais un policier l'avait attrapée par les menottes. Elle s'était contentée de promener son regard sur le lac. Sa respiration était haletante. Les cartouches de cigarettes suivaient les vagues qui les entraînaient au large. Corps de femme contre corps de policiers. Après plusieurs minutes de résistance, elle avait accepté de monter dans l'auto et avait disparu dans la nuit.

Le juge l'avait condamnée à trois mois de détention pour avoir participé au célèbre trafic de cigarettes en canot sur la rivière Noire, et cela, dans un pénitencier réservé à des femmes purgeant des peines inférieures à deux ans. C'était il y a un peu moins de trois mois.

❧

Le jour de Noël 2011, il ne restait à Emmanuelle qu'une semaine à purger sur les trois mois de détention imposés. Une fine neige tombait sur le pénitencier, ses barbelés, ses pigeons de métal. Le vent d'hiver soufflait derrière les fenêtres à barreaux. Des souvenirs de famille martelaient le crâne d'Emmanuelle. Dans la cafétéria de la prison, elle regardait scintiller les lumières du sapin synthétique. Lissant ses longs cheveux châtains derrière ses oreilles, elle se leva, appuya son corps svelte contre le mur et songea aux semaines qu'elle venait de vivre.

Elle avait connu les pires moments de sa vie dans cette prison, ce qui lui avait donné des idées de mort, partagées, comme elle s'en était vite rendu compte, par toutes ses codétenues. Elle avait occupé de brave façon son petit territoire, une cellule comprenant un lit simple, une table de travail, une cuvette et un lavabo. Cette cellule était petite, mais plus confortable que celles de la section psychiatrique qui, elles, ne comprenaient qu'une cuvette et un lit. Elle ne s'y rendrait jamais, mais on lui avait parlé de détenues qu'on y avait envoyées, qui avaient par la suite disparu dans un hôpital psychiatrique et qui avaient regagné la rue, pour finalement revenir en prison, complétant ainsi un cercle infernal. Dans la section psychiatrique, pour des raisons de sécurité, les détenues ne pouvaient pas porter leurs propres vêtements, contrairement aux détenues non psychiatrisées. Elles devaient choisir parmi les « dons ». Selon Emmanuelle, porter les vêtements d'inconnues renforçait les hallucinations auditives, car les nouveaux vêtements renfermaient la voix de celles qui les avaient portés.

Heureusement, trois fois par semaine, Emmanuelle avait accès au gymnase et, les mardis, à la bibliothèque. C'étaient ses mardis gras. Elle avait accès à la cour jusqu'à six heures par jour, sur demande. Elle prenait toutes ces heures. Si elle avait purgé sa peine l'été, elle aurait même pu jardiner. Le lever était à 7 h 30 et le coucher, à 21 h. Il était possible de faire une sieste l'après-midi, ou de travailler pour deux dollars l'heure. Elle était glacée par l'enfermement, comme prise dans un lave-auto, éternellement coincée.

Une terrible envie de promenade lui démangeait les jambes. Elle sortit. Fany, une autre détenue, qui rigolait beaucoup et à qui l'excès de joie donnait une féroce envie de se battre, s'approcha d'elle et lui demanda de rédiger une lettre à l'élu de son cœur, Jack. Fany ne savait ni lire ni écrire, car elle avait dû élever ses frères et sœurs et n'était pas allée à l'école. Elle avait su, cependant, comment se ruiner en achetant des autos et des maisons, des amphétamines, de la cocaïne et des gigolos. L'élu, Jack, était un gardien haïtien d'une cinquantaine d'années, à la peau foncée jusque dans l'âme et aux épaisses lunettes rétro. Responsable de la sécurité et de l'accueil des visiteurs, il écoutait plus souvent qu'autrement les nouvelles du sport à la radio, derrière son bureau vitré. Fany, avec ses cheveux noirs aux épaules et son corps d'une douceur aromatique, avait tout de suite été séduite par lui. Au début, elle avait bien caché ses sentiments derrière sa mélancolie suicidaire et le racisme familial qui encourage la haine des peaux noires fumantes de soleil et le mariage pur entre gens de même espèce, soit les habitants de Rivière-des-Prairies, mais peu à peu, elle n'avait pu retenir la fougue de ses désirs.

Dès ses premiers pas en prison, Fany avait reçu des leçons d'une autre détenue, Ardith, une femme cultivée aux courts cheveux blancs, qui s'arrêtait avec elle devant les écriteaux pour en déchiffrer les mystères. Mais cela n'avait pas été suffisant. Emmanuelle réagit à sa demande en rentrant le menton dans son foulard avec une mine déconfite. Depuis son arrivée à la prison, elle n'arrivait plus à écrire. Elle pensait souvent à son roman, qui n'avait pas eu d'écho. Son personnage principal demeurait debout, fixant le large, au beau milieu d'un lac gelé, tout près d'un trou dans la glace. Le vent soufflait et lui, il mangeait des biscuits pour chiens. Son chien était mort noyé, mais il avait l'étrange impression de pouvoir revenir en arrière et sentir à nouveau la fourrure de son chien entre ses doigts. Elle voyait cette scène, pouvait faire le tour de ses éléments figés, s'approcher de l'homme, du trou, de l'eau ; tout était immobile.

Le vent balayait leur visage, à Fany et à elle, et leur envoyait des bourrasques de la rivière, à présent lointaine. Il les fatiguait et leur rappelait à quel point il faut se battre pour rester sain d'esprit et clairvoyant, car il est entendu que vivre au grand vent rend fou.

— Je ne pourrai pas t'écrire cette lettre, Fany, je n'arrive plus à écrire, annonça Emmanuelle.

— Tu n'es plus capable d'écrire… Comment ça ? demanda Fany, pragmatique, prenant les mains d'Emmanuelle dans les siennes et les examinant de tous les côtés.

Emmanuelle n'avait pas envie de lui expliquer les raisons de son incapacité.

— J'ai reçu un coup de poing à la tête. Hier.

— Dans le hall ?

— Oui, devant la cantine. Je passais et j'ai reçu un coup perdu, dans une bagarre.

— Tu veux que je te paye ? En cigarettes ?

Emmanuelle n'osait pas le croire.

— Mais qu'est-ce que tu viens me demander là ? Jack t'aime déjà, non ?

— Non, Emmanuelle, il me déteste. Je crois. Enfin… Tu es pourtant parfaite pour ce genre de déclaration ! Tu connais les lettres, les livres, tu corresponds avec ta sœur ! Ce sera le jour de l'An dans sept jours. Tous les amants s'échangent des lettres ce jour-là ! Tu es la seule qui puisse écrire cette lettre, Emmanuelle. Je t'en prie. Jack reluque cette intellectuelle, Ardith.

— Ça, ça m'étonnerait.

— Ah oui ? Et pourquoi ça t'étonnerait ?

Emmanuelle soupira et sautilla sur place pour se réchauffer.

— Fany… Je ne crois pas qu'il puisse s'intéresser à Ardith. Elle est… rébarbative. C'est bien elle qui t'enseigne le français, non ? Est-ce que Jack sait que tu ne sais ni lire ni écrire ?

— Non, il ne sait rien. Mais, c'est sûr qu'il s'en douterait si je ne lui écrivais pas de lettre ! Ardith a cette façon de parler, avec toutes ses dents en avant, et une note aiguë à la fin de ses mots, je n'y comprends pas grand-chose, mais je pense qu'elle est parfaite pour lui. Elle représente le fantasme de la prof, tu vois. C'est le genre d'intello qu'il recherche. Elle est sûre d'elle. Je vais te droguer pour que tu le fasses, au pire, oui, je serais capable de te droguer pour que tu y arrives. Tu ne veux pas que je te paye ?

Et si c'est moi qui te droguais ?

Elle ne sut pas pourquoi, mais elle eut pitié de Fany, de ses cheveux sales et de sa beauté gamine. Elle commença à penser qu'elle pourrait au moins essayer d'écrire une petite lettre. Elle vit là l'opportunité de se refaire la main et perçut Fany comme un messie lui apportant l'ultime salut. Elle lui répondit :

— Ça ne sera pas nécessaire. Je ne te promets rien, mais je vais tenter le coup. Donne-moi quatre jours. On est le 25 décembre. Le 29, t'auras une lettre, ou pas.

Emmanuelle se leva, le lendemain matin, dans le seul but d'écrire. Elle resta d'abord dans sa chambre, se réservant les paysages enneigés pour d'autres instants. Jamais une œuvre ne lui avait davantage tenu à cœur. La veille, à la cafétéria, elle s'était penchée pour écouter Jack, qui était venu faire son tour, puis vers Fany, en se mettant dans la peau de l'un et de l'autre. Elle se mit à griffonner des lettres, mais elles ressemblaient à des missives destinées à son ancien amour à elle, Paris Shetland. Des missives faites de rancœur et de violence. C'était horrible. Elle n'aurait jamais obtenu un rendez-vous galant avec des lettres pareilles. Le regard émeraude chercheur de pardon de Paris l'empêchait d'écrire autre chose. Emmanuelle pensait à lui et à Cythère, cette île grecque où ils avaient vécu et où son mariage avait avorté, malgré la protection d'Aphrodite née dans ces eaux. Elle lui en voulait. Toutes les pièces de son cœur brûlaient de mille chandeliers renversés. « Mon ancien futur mari », pensa Emmanuelle. Un jeune policier grec, qui sentait le tzatziki, les avait empêchés de mener à terme leur rêve matrimonial.

Ils avaient alors vingt-deux ans et habitaient à Cythère. Les images fabuleuses de cette île sauvage, peintes par Watteau, avaient alimenté l'idée romantique qu'ils s'étaient faite de la Grèce et de leur passion, et ils avaient quitté Montréal pour aller y vivre. Ils habitaient un port désaffecté, plein de lézards grecs, où l'on retrouvait un seul restaurant, un café et un petit marché fournissant le pain et les œufs frais. Paris y avait créé un groupe de jazz, le Navy Paris Band, qui ne se produisait que dans le bar du port. C'était un endroit clos fréquenté par les esprits mauvais. Ce monde d'hommes, elle s'y était greffée comme à un corps plein d'obus. Elle buvait alors tellement d'ouzo que sa vie était comme un arc-en-ciel perpétuel. Elle avait vu son futur mari exceller dans l'art du saxophone et il l'avait regardée exceller dans l'art d'attendre l'inspiration et de tenir la maison.

Lui, brillant, génial, métallique, avait une énergie adolescente inépuisable. Elle avait palpité de rage et d'amour dans son ombre. Elle avait écouté ses longs monologues, quand tous ses amis l'entouraient et qu'il parlait de choses divines provenant d'un autre temps ou quand il déclamait les vers des poètes grecs sur les rochers où ils allaient tous s'endormir au lever du jour. Partout le bleu azur. Bleues, les maisons. Bleu, l'amour. Bleue, la nuit. Bleu, son sang, quand elle se donnait des coups et qu'elle regardait ses veines se gonfler. Dans ces visions du passé, elle sentait son crâne bleu s'illuminer, bleu-violet, comme tous ces crânes d'aristocrates, tous les crânes de sang royal paranoïaques.

Le jour de leur mariage, au mois de juillet, alors que familles et amis s'étaient réunis pour une luxuriante *garden-party*, sous les lauriers en fleurs, dans l'odeur inoubliable et envahissante des eucalyptus, Paris avait été arrêté pour trafic de téléviseurs. Emmanuelle et les femmes présentes avaient été les seules réellement surprises; les hommes les avaient consolées. Emmanuelle était dégoûtée de ne pas avoir été mise au parfum. Ce devait être une journée agréable; ce fut un jour de haute trahison. Dans son corset couleur cristal, une flûte de champagne glacé à la main, elle avait refusé d'embrasser Paris, de lui dire adieu et de lui faire des promesses de visite ou de fidélité. Elle avait refusé toute étreinte. Des téléviseurs, quand même, ce n'étaient pas des dés à coudre, ou des *komboloïs*! Il avait dû les stocker quelque part. Comment avait-elle pu être si naïve, si aveugle? Elle avait pensé aux vieux conteneurs bleu et rouge, en bordure de la route, vers le port de Diakofti, au nord de l'île, tous désuets, tous des épaves, parfaits pour la casse.

Elle avait été tellement blessée du manque de confiance de Paris que jamais plus elle n'avait voulu le revoir. Elle était quoi? Une poutre? Un abat-jour? Dans le drame ébruité, elle avait quitté l'île et était revenue s'installer à Montréal, où elle avait terminé son roman *Le lac gelé*. Elle l'avait publié au début d'octobre et avait reçu un accueil froid comme la mort de sa tante, quatre jours plus tard. Elle avait donc déménagé à Villa-Cruz, un petit village retiré au nom de Club Med et évoquant les palmiers, mais dépourvu de tout, un village où soufflait un vent tranchant comme une lame, qui balayait le haut de la tête et rendait toute chose impossible, sauf l'ennui, la course au bord de l'eau et l'inévitable longévité qui s'ensuit. Dix années avaient passé, et l'arrestation était survenue. Le piège à lièvres s'était refermé sur l'élégante patte de fourrure blanche d'hiver. Les doigts fins aux ongles roses d'Emmanuelle Archebishop saignaient au travers des dents de fer qui les traversaient.

Essayer d'écrire une irrésistible missive d'amour avait rappelé à Emmanuelle des souvenirs, l'avait ramenée au cœur de Paris Shetland. Elle broyait du noir. Pourquoi ne l'avait-il pas jugée digne de confiance? La télévision n'était-elle pas son domaine? N'était-elle pas celle qui écoutait des émissions à toute heure? N'aurait-elle pu être de quelque secours en matière de qualité d'image et de son? N'était-elle pas extraordinaire pour garder des billets de banque et n'avait-elle pas un don inné pour faire des reçus, elle qui travaillait alors au restaurant de leur village? Elle était dégoûtée, furieuse. Même une presque inconnue, Fany, lui témoignait aujourd'hui sa confiance et lui confiait une tâche autrement plus ardue que celle de garder le secret d'une transaction frauduleuse. Mais, comble d'ironie, Emmanuelle ne pouvait que la décevoir, elle qui, désormais, ne pouvait écrire que des déversements haineux et cadavériques. Dans ses billets censés être doux, elle n'écrivait que sur les morts, que sur le sang qui coule, que sur la balle qui arrache la peau du visage. Tout s'avérait propice à écrire de telles scènes de meurtre. Elle devait trouver une solution au besoin d'amour de Fany, à sa rage d'exprimer ses sentiments par écrit à Jack, le grand Noir fiévreux qui, vraisemblablement, aimait à un niveau beaucoup plus élevé que tout ce qu'Emmanuelle pouvait imaginer. Lui, comment vivait-il son amour pour Fany? Emmanuelle devait sortir de son marasme qui, d'ailleurs, insidieusement, l'avait poussée sur le chemin de la contrebande. Paris n'était pas responsable de ses actes, mais il avait contrevenu à la paix de son esprit. Il s'était battu avec sa vie, comme un chat dans une ruelle, et lui avait injecté mille litres de doutes dans le cœur. Elle se devait d'y retourner, dans cette ruelle pleine de morceaux d'âmes. Elle se devait aussi d'écrire une lettre pour Fany. L'amour fait plaisir aux gens, et les lettres sont parfaites pour les têtes flottantes. Elles suivent le contour des âmes et pénètrent le crâne, sans contrôle. Les lettres sont des lieux éternels, elles viennent de loin, ont été écrites depuis longtemps. Ce qui est écrit doit avoir traversé la déchiqueteuse du temps, doit avoir passé l'épreuve de la volte-face. L'amour est fier de ce qu'il fait disparaître: le jugement; et faible est la lumière qu'on tente d'attraper quand l'amour nous met K.-O., couverts par le sang du cœur, ouvert et piétiné. Quand le matador nous aperçoit, nous, taureau surpris, nous sommes foutus. À tombeau ouvert, Emmanuelle Archebishop devait monter dans ce tramway circulant dans la ville solitaire de Paris. Celui par qui tout arriva et par qui tout lui fut arraché.

∽

Emmanuelle sortit dans la cour pour réfléchir à la lettre à écrire. Il restait un petit coin sauvage où les rochers, quelques amélanchiers et des pruches naines étaient ensevelis sous la neige. Des branches d'ifs et de houx soutenaient des grappes de baies rouges et noires, glacées et pourries, comme pour souligner le temps des fêtes. Les restes du potager qui avait occupé les détenues durant l'été émergeaient subtilement de la neige : tuteurs pour tomates, filage. Ce pénitencier était un endroit abandonné du monde, un endroit bombardé par les tempêtes de neige. Chaque détenue était poussée dans ses retranchements, devant se plier à la routine. Peu importe l'animal qui la hantait, requin, ours ou loup, aperçu dans les cauchemars de l'enfance, il revenait et s'installait chez elle pour de bon. Emmanuelle veillait au grain avec sa faux imaginaire ; elle ne laisserait aucun ours noir de Lanaudière faire son entrée dans sa cellule.

Elle s'était assise sur une marche frigorifiée et regardait les autres prisonnières. Certaines arpentaient le terrain et d'autres étaient simplement assises, comme elle. Emmanuelle cherchait le sens de la demande épistolaire de Fany, le sens de cette punition qu'elle lui infligeait. Elle trouvait que l'écriture de la lettre avait pris une importance exagérée. Il fallait pourtant la commencer. Elle pensa qu'énumérer les qualités de Jack serait un bon début et qu'elle devait aller lui parler. Elle aurait préféré sauter cette étape, mais il fallait le faire. Au dîner, elle alla donc s'asseoir devant lui pour manger. Il faisait une pause, assis à une longue table, tout en sachant qu'il n'avait pas le droit d'être là, avec les détenues, mais il s'en fichait.

Elle lui dit, tout en mangeant rapidement sa portion de pâté :

— Et vous, que pensez-vous du suicide, au fait ?

— Je pense qu'il faut croire au lendemain, sinon on est foutu, lui répondit-il.

— Ce que je pense, moi, c'est que c'est un des premiers gestes qui prouvent l'humanisation. Je pense que les premières générations d'hominidés ont dû avoir des suicidaires dans leurs rangs. Dès que le cerveau a été assez enflé pour que se développe la fantastique conscience, le suicide est nécessairement apparu.

Il y eut un énorme malaise. Emmanuelle poursuivit :

— Jack, dites-moi, qu'elle est la première boutade que ces hommes se sont racontée ?

Elle scrutait ses traits avec tant d'acharnement que Jack détourna le regard.

— Par rapport au suicide ?

— À propos de ce que vous voulez, répondit Emmanuelle.

— Je n'en sais rien. C'est vous qui allez me le dire.

— Eh bien, je pense que c'est : « Regarde-moi ça, il est tellement trouillard qu'il a peur de son ombre ! » Je crois que c'est la première, ou l'une des premières, boutade au monde. Car tout le monde a peur de son ombre, quand il est seul dans une maison, pas vrai ? Aussi primitive ou sophistiquée que soit la maison, à un moment donné, la peur vous prend. Et qui dit première peur dit aussi première blague.

— Il y a certainement eu aussi de très anciens rires entourant les rots d'enfants.

— Oui, nous pouvons en être certains.

Emmanuelle observait d'un air attentif les gestes de Jack et elle écoutait sa voix grave. Elle semblait apprécier ce qu'elle venait d'apprendre.

— Tous les écrivains inventent, un jour ou l'autre, un personnage qui s'appelle Jack, pas vrai?

Jack Hardret la fixa longtemps, semblant attendre une réponse, jusqu'à ce que Fany arrive et donne à Emmanuelle une tape dans le dos avec un regard complice, complice de la seule et unique chose qui les reliait : savoir ou non écrire. Emmanuelle se défendit un peu, n'aimant pas trop les contacts physiques, déposa son plateau vide, puis s'en retourna dans sa chambre, les mains dans les poches, en inscrivant la voix de Jack dans tous les tiroirs sonores de sa tête, la faisant aller et venir jusqu'à en perdre la couleur. Elle s'assit sur son lit, les genoux fléchis, le dos contre le mur blanc, et elle tenta à nouveau d'écrire une lettre. En vain, hélas! Le lendemain, comme rien de joli ne lui était venu, elle demanda à Fany pourquoi elle ne lui dicterait pas simplement ce qu'elle voulait lui dire.

— Emmanuelle, lui répondit Fany, où voudrais-tu que je te dicte ça? Tu veux que je te paye ou quoi?

— À la cafétéria, ou pendant les pauses cigarettes, tiens.

— Ça sonne comme un mauvais plan.

— Mais cette lettre, si j'arrive à te l'écrire, tu ne peux même pas la lire. Vraiment, tu t'en fous, tu la lui remettras sans l'avoir lue. Mais es-tu folle? Et si moi, j'étais folle?

— Je te fais confiance. Peut-être es-tu détraquée, mais Jack aimera. Je suis certaine que tu écris bien. Et moi, je te paierai en cigarettes, s'il le faut.

— Tu sais que j'ai participé à un trafic de cigarettes à partir d'une rivière? Et que…

Emmanuelle recula pour prendre une inspiration.

— … je ne fume pas! Ah!

Fany ne répondit pas tout de suite.

Elle lui murmura tout simplement:

— Si… Tu fumes, je t'ai vue!

— Mais je ne fumais pas à l'époque!

— Mais je m'en fous! Tu lui écriras cette lettre d'amour.

— Je trouve que tu es… vraiment, c'est idiot, je te jure, tu prends un gros risque, Fany, tu ne devrais pas faire ça! Si j'étais toi, je retiendrais ce geste avant qu'il ne soit trop tard.

Emmanuelle haussa le ton. Fany n'était pas d'accord. Elle lui sourit, lui dit qu'elle était drôlement belle et lui souhaita bonne nuit.

Le lendemain matin, en sortant, Emmanuelle aperçut les jumelles à travers le blizzard qui balayait la cour. Winchester était à l'autre bout de la cour et sa sœur Chichester arpentait de long en large les clôtures. Ces jumelles l'intriguaient. C'étaient deux Amérindiennes à la fin de la vingtaine. Deux menues cathédrales de rage. Deux petits êtres aux longs cheveux noirs, avec un regard de plomb qui vous coule au fond de l'eau. Quand cela les avantageait, elles se tenaient la main mais, le plus souvent, elles griffaient, mordaient, s'engueulaient, se parlaient en phrases simplifiées. Elles étaient des récidivistes de la violence. Avant de se retrouver en prison, elles se bagarraient souvent dans les bars et menaçaient les passantes avant de les battre et de les voler. Elles s'adoraient, mais s'insultaient dans des explosions de mots qu'on ne dit d'ordinaire qu'à soi-même. Les chicanes n'avaient pas de fin puisque chacune avait une peur bleue de donner raison à l'autre, qui était l'autre côté d'elle-même, le côté qui tient tête et, qui plus est, est foncièrement de mauvaise foi. C'était soit l'une, soit l'autre. Incluses dans la même discussion, antagonistes de la première heure, elles avançaient tout le temps des opinions différentes. La parcelle d'humanité qui leur revenait avait été maintes fois coupée en deux et elles devaient se contenter de miettes d'intelligence.

Dans la poudreuse, elles pleuraient parfois lorsqu'elles se croisaient et tapaient dans le grillage près de la forêt. La petite Chichester rentra son poing dans la neige où des traces de sang apparurent. Elle tomba de rage, en glissant sur une parcelle de glace, et ses longs cheveux de jais volèrent dans la poussière de neige. Sa sœur jumelle aînée, Winchester, courait. Elle passait ses journées à courir, tel un chiot, car elle devait dépenser son énergie et évacuer son stress. L'exercice physique était, en prison, sa seule issue. Elle s'était ainsi payé une belle mise en forme. Les pas feutrés de Winchester résonnaient dans l'aube jusque sous les bottes d'Emmanuelle qui alla s'installer sur sa marche. La méditation lui plaisait, car elle adorait l'immobilité. Un peu plus tard, Emmanuelle entendit des cris. Ne sachant pas leur provenance, elle chercha à voir vers sa droite, où une petite rangée de pins séparait la cour des clôtures, puis du stationnement. Dans la cour, quelqu'un qu'Emmanuelle ne connaissait pas courait après Chichester pour l'assommer avec une pelle à neige et, hors de portée de l'œil humain, des coyotes humaient la neige à la recherche de traces de pas. Emmanuelle sentit que le froid extrême lui donnait des habiletés et qu'elle pourrait s'en servir pour écrire. Le froid lui conférait quelques pouvoirs surnaturels ; elle crut pouvoir se libérer de ses entraves et, ultimement, espérer le salut. Le froid devrait être capable de venir à bout des murs d'une prison. Le froid, c'était sa guerre d'indépendance personnelle. Elle resta dans le froid jusqu'au gel complet de son cerveau, prit un papier et rédigea des lettres censées être romantiques.

Jack,

C'est une terreur que de te voir si souvent. Il est certain qu'on se fera du mal. Je voudrais que tu disparaisses avec tous tes mensonges, tes allusions, tes faux rendez-vous. Tu me rappelles les ours noirs affamés de mes cauchemars. Ton amour me fait m'ennuyer du temps d'avant toi…

Elle se tapa la tête à deux mains et continua, réécrivant cent fois son petit billet. Pour Jack. Pour Fany. Les deux visages s'interchangeaient dans sa tête.

Jack,

C'est une erreur d'être venu me parler la première fois. C'est une terrible erreur, car je ne t'aimerai jamais. J'ai autant horreur de toi que de moi-même, une détestable horreur de mon être. Je ne te laisserai plus jamais m'approcher, me toucher. Cela me prendra bien cent ans pour oublier tout ce que tu m'as fait subir, et cela, en toute conscience.

Jack,

Ton corps est si gros, si pesant quand tu te couches sur moi ! Pourquoi n'as-tu pas le corps élancé et mince de mon amant d'autrefois, ses yeux verts illuminés par l'amour du vide ? Et pourquoi, lui, n'a-t-il pas vu en moi ce que toi, tu es prêt à bénir en moi ? N'es-tu pas envoyé par lui, par son démon ? Pourquoi a-t-il fallu que tu sois si noir, que tout soit si noir avec toi, et tes lèvres si gourmandes que je n'ai pas le temps d'aller les chercher à ton visage qu'elles sont déjà à lécher mes lèvres, ta bouche si pleine qu'elle me donne à penser à ma pauvre chétivité, à ma propre propension à te diriger, cher voilier ? Mais qu'as-tu fait, Paris ? Paris ? J'étais contrôlante ? J'étais jalouse ? J'étais violente ? Et toi, tes mensonges n'étaient-ils pas méchants ? N'as-tu pas souhaité, un jour, que je meure ? Ne me l'as-tu pas déjà dit avec rage ?

En essuyant ses larmes chaudes de colère sur ses joues glacées, avec ses gants bruns de laine, Emmanuelle fut contente d'avoir pu dénicher dans tout ce fatras ce mot d'amour, « cher voilier », qui allait à Jack plutôt qu'à Paris, Jack, ce grand mât solide qui repousse le vent. Elle imaginait la voix de Jack poussant les voiles des bateaux des navigateurs à la découverte du Nouveau Monde, où Fany était impatiemment assise.

À midi, Fany remarqua les yeux cernés d'Emmanuelle.

— Ça va, toi ? Tu veux pas que je te paye ? Je ferai tes corvées…

Emmanuelle s'était assise près d'elle, et Jack était venu les rejoindre. Emmanuelle hocha la tête en défaisant, à l'aide du dos de sa fourchette, son pâté. Elle souhaitait qu'ils se mettent à se parler de choses intimes afin de repérer des indices dans leur conversation. Ils ne firent rien que se lancer des regards. L'habit de gardien de Jack était très grand. Lui-même était grand ; il mesurait six pieds quatre. C'était là un fait impressionnant sur quoi broder, elle ne l'avait pas remarqué auparavant. Emmanuelle imaginait en même temps Paris en train de brûler vif dans son habit de marié. Jack retourna à son travail, après avoir regardé Emmanuelle avec la même intensité que la veille. Elle attribua ce débordement d'émotion à ses questionnements sur le suicide et fut moins désorientée de se retrouver en la seule compagnie de Fany. L'atmosphère était à la tristesse, Noël était passé. Fany attrapa Emmanuelle par le bras alors qu'elle s'apprêtait à partir. Ses cheveux noirs lui coupant la vue, elle lui dit :

— Je dois te parler.

— Alors viens, nous avons du temps, dit Emmanuelle en s'en allant.

Elle se rendit près des cellules, avec Fany à ses trousses.

— Comment va l'écriture ? Ça paye ?

— En général, ça te plaira, dit Emmanuelle.

Elle regardait Fany, admirait la peau de son visage blanc, ses magnifiques yeux noirs, ses lèvres assez foncées, son air de Cléopâtre déchue et alanguie par le malheur et par le poids de ses bijoux, mais si mystérieuse encore de ses secrets, sa poitrine lourde et parfaite, ses longues jambes rasées jusqu'en haut des cuisses (ça se voyait dans les douches, ça se voyait à la piscine, et c'était rugueux quand on y passait le revers de la main), son corps chaloupé. Fany regardait Emmanuelle et ses yeux bruns en amande. Emmanuelle avait la même taille qu'elle, mais elle était plus mince, avec quelques os saillants. Elle marchait, très droite, comme s'il n'y avait personne. Elle ne regardait pas où elle allait. C'était fondamental. Elle s'arrêta devant sa cellule.

Emmanuelle soupirait avec tout son sérieux d'écrivain, avec tout son fond triste de bonne élève, tout en plaçant ses cheveux châtains derrière ses oreilles et en regardant le corps de Fany. Elle soupira encore, laissant ainsi sortir toute son angoisse. Comme toujours dans l'intimité, Emmanuelle était expéditive.

Du regard, elle questionna Fany qui ne disait mot.

— Eh bien, dit Fany en souriant de toutes ses dents. Je vais te raconter un peu comment est Jack… C'est vrai. Il est dur à décrire… D'abord, il faudra miser sur son physique. Sa taille.

Emmanuelle s'éloigna un peu de Fany, qui semblait avoir chaud.

— Tu devrais t'en aller maintenant, Fany, les agents vont nous voir.

— Je voudrais que la lettre soit écrite en rouge ! Rouge comme l'amour, exactement comme l'amour.

Fany partit, en lui laissant son stylo rouge, qu'elle avait sorti de son pantalon, ou de sa culotte. Qui sait où on loge les choses en prison ? Emmanuelle suivit Fany, cette fois, en la regardant autrement. Avec un regard plus personnel. Elles marchèrent jusqu'à l'entrée de la cafétéria. Les cellules n'ont pas de barreaux, dans les prisons pour femmes du Québec. Les détenues y sont enfermées la nuit et, le jour, elles travaillent ou errent. Les différents secteurs de la prison sont séparés par des portes d'acier et des vitres blindées.

C'était l'heure de la pause cigarette. Fany courut faire allumer sa cigarette par Jack, dans le hall d'entrée, alors qu'une tempête de neige sévissait dehors. Emmanuelle la suivit de loin et croisa les deux jumelles qui discutaient entre elles lorsqu'une gardienne vint leur demander de remplacer les tuniques africaines qu'elles portaient par des vêtements sensés. Dieu sait où elles avaient déniché ces trucs! Emmanuelle se joignit à elles, mais perdit vite intérêt à les écouter; elle ne songeait qu'à l'épouvantable lettre à rédiger. Ardith se joignit au groupe, et Emmanuelle eut envie de lui parler de ses tentatives pour apprendre à Fany à lire et à écrire.

— C'est dans quel ordre, lire, écrire? On apprend dans quel ordre, Ardith, je ne me rappelle plus. C'est stupide comme question… Plutôt, dans quel ordre, vous, préférez-vous enseigner?

— Je ne sais pas, ça se fait en même temps, Emmanuelle.

Emmanuelle était très nerveuse. Des palpitations lui électrocutaient le cœur dans les moments trop émotifs ou lors de nouvelles rencontres. Ardith portait de belles lunettes bleues à montures larges, et c'est peut-être cela qui perturba Emmanuelle. Ardith avait aussi une belle confiance en or comme un nuage de parfum autour du corps. Ses courts cheveux blancs faisaient de belles boucles. Elle portait des vêtements de l'armée: une chemise verte, par-dessus ses autres vêtements, qui faisait ressortir le vert de ses yeux, et des bottes noires avec cap d'acier.

— Vous avez fait l'armée? lui demanda Emmanuelle, épouvantée.

— Étant jeune adolescente, oui. Là, j'ai appris comment faire mon lit. Là, j'ai appris à obéir. Là, on ne fait pas ce qu'on veut! D'où vient ce cancer que j'ai.

Emmanuelle remarqua sa façon étrange de parler. Probablement une spécificité régionale.

— Vous avez le cancer?

— Là, j'ai le cancer. Oui. *Sort of.*

— Mais c'est terrible, dit Emmanuelle en portant une main à son cœur.

Emmanuelle, foncièrement hypocondriaque, sentit ses genoux fléchir et, en vacillant, elle vit de petites étoiles et de fins éclairs devant ses yeux.

— Je suis sous médication. Ne vous en faites pas, ça ira.

Emmanuelle ne put retenir cette question niaise :

— Vous me direz si j'ai tort, mais y a-t-il un lien entre cette maladie et le fait que vous soyez ici ?

— Emmanuelle, non. Aucun lien entre ma maladie et mon crime.

— Je vois. Vous purgez deux peines, en quelque sorte.

— En simultané, oui.

— Vous êtes une délinquante, une malade.

— Je suis une malade, oui. Une folle. Chichester, j'aimerais bien avoir une cigarette, s'il vous plaît.

— Ouaip.

Elle la lui lança sur l'épaule, et Ardith l'attrapa agilement en reculant.

— C'est pas comique ce qu'on vit ici, dit Emmanuelle.

— Non.

Pour faire comme les filles, Ardith, qui normalement ne fumait pas, alluma la cigarette et s'étouffa.

Chichester hurla de rire.

— Je trouve cela vraiment gentil, ces cours que vous donnez à Fany. Elle en a besoin. Ça l'aidera, au moment de sa sortie, lui dit Emmanuelle.

— Elle n'a pas eu la chance qu'on a eue, nous, Emmanuelle. Fany est une belle fille, intelligente, rudement fêlée et souvent impertinente, trop portée sur la bouteille, mais brillante. Et vous, que faisiez-vous avant d'être punie ?

— Hum. J'écrivais.

— Et cela a-t-il un lien avec votre délit ?

— Mais tout à fait.

— C'est coincé tout en vous.

— C'est cadenassé pour le moment. Il ne me reste plus que la peine.

— Et vous la purgez à fond, à vous voir.

— J'y suis à fond. Pardonnez-moi…

Emmanuelle quitta la salle en se demandant d'où diable sortait cette dame effrontée qui l'incitait à faire toutes sortes d'aveux…

❧

Le 29 décembre, Emmanuelle se devait de remettre quelque chose à Fany. Jusqu'ici, ses lettres étaient toutes noires. C'était catastrophique. En prison, c'était du suicide. Emmanuelle fit un dernier essai.

Jack,

J'aurais adoré t'aimer, mais ce n'est pas du tout le cas. Je pourrais faire revivre le cannibalisme juste pour toi, je pourrais appeler un ethnologue et lui faire la démonstration des plus cruels rituels. Je pourrais lui démontrer les mille façons que j'ai trouvées pour torturer ton corps.

Il était évident qu'Emmanuelle n'y arriverait pas. Ce jour-là, elle essaya d'éviter Fany dans les corridors, mais celle-ci arriva à l'intercepter et la supplia de se dépêcher. Emmanuelle lui murmura son drame.

— Je ne suis pas capable, Fany. C'est fini. Je ne peux pas livrer ta commande.

Emmanuelle la fixait avec une grande inquiétude.

— C'est pas vrai, lui dit Fany, combien veux-tu ?

— Rien, Fany, je ne veux rien. Je n'y arrive pas. J'ai essayé et rien ne sort.

— Rien ne sort…, répéta Fany. *Give me my red pencil back, please.*

Et voilà, le mal était fait. Emmanuelle espérait ne pas avoir provoqué chez Fany un changement de personnalité. Elle lui rendit son stylo. Fany lui sourit. Elle fumait. Emmanuelle respirait la fumée secondaire. Fany tremblait, mais tremblait-elle toujours ? Emmanuelle aurait aimé pouvoir répondre à cette question pratique de connaissance de l'autre. Elle avait entendu dire que Fany était derrière les barreaux pour prostitution, mais devait-elle vraiment prêter attention à de tels ragots ? Ici, les mensonges avaient de l'importance, il fallait les croire. Une fois la cigarette terminée, Emmanuelle s'enfuit vers la cafétéria en longeant les murs de tristesse. On était quelques jours après Noël, et Fany rayonnait à présent. L'enfant en elle prenait les rênes et elle déambulait dans les corridors en chantant des chansons de Noël :

— *Merry Christmas everyone!*

Elle avait découpé des feuilles de gui dans du carton vert et en avait mis au-dessus de toutes les portes qu'elle avait vues. Elle s'était placée sous celle de la cafétéria et elle avait pu attraper Jack par le bras. Tous l'avaient vue l'embrasser sous le gui. Les sifflets et les rires avaient fusé. Elle avait levé la tête et était allée chercher son repas. Personne n'imaginait le mal que son cœur faisait à battre à tout rompre après ce baiser.

— Quel est le sens de Noël, si ce n'est pas d'embrasser les gens qui ne veulent pas ?

Tout au long de la soirée, elle avait coincé Emmanuelle plusieurs fois sous les portes du fumoir. Le verglas faisait des gestes glacés dans les vitres. Lorsque Fany saisissait Emmanuelle, celle-ci lui disait :

— Il fait si froid dehors…

Ce n'est pas qu'elle était en désaccord, mais elle ne pouvait pas céder après avoir failli à sa demande.

— Oui, dehors, c'est froid, il faut bien payer à un moment donné. C'est le temps des fêtes et je crois que tous les vœux peuvent se réaliser, disait Fany en s'allumant une cigarette et en regardant Emmanuelle de biais. J'aime tellement les fêtes ! Je voudrais qu'elles ne s'arrêtent jamais.

Emmanuelle aimait voir Fany émerveillée. Elles sortirent et fumèrent sous la neige en se racontant leurs réveillons d'antan, qui étaient aussi différents qu'elles l'étaient elles-mêmes. Elles frémirent d'effroi et de rire. Emmanuelle avait vécu des réveillons nettement plus épouvantables que ceux de Fany.

— Un jour, j'écrirai, Emmanuelle. La vie me le paiera. Mais si je n'ai pas Jack, ce soir, ça n'arrivera jamais. Seul Noël peut passer par-dessus ma vie, dit Fany avec détresse.

Emmanuelle regagna sa chambre en la laissant déambuler pour le reste de la soirée de feuille de gui en feuille de gui.

Le lendemain, le 30 au matin, vint la terrible nouvelle. Emmanuelle entendit entre les branches qu'Ardith aurait rédigé, pendant la nuit, sous l'insistance presque apeurante de Fany et de son flacon de Jack Daniels, une lettre enflammée à Jack et que Jack aurait ri en la lisant à voix haute, allant même jusqu'à pleurer et à hoqueter, et que Fany, ayant explosé de rage, aurait été transférée dans la zone des psychiatrisées. Elle aurait avoué à une garde faire la vente de ses propres médicaments et se laisser aller au désespoir, sans possibilité de se rétablir. Le feu était pris dans sa matière non combustible. Elle ne répondait plus à l'appel de son nom et se cachait quand elle devait choisir parmi les vêtements donnés par les habitants des villes. C'était par pure chance qu'Emmanuelle n'était pas sortie de sa cellule au moment de la terrible lecture, ayant préféré le sommeil. Elle n'avait donc pas entendu Jack rire de la tirade. Grâce au hasard, Fany avait trouvé en elle une amie, dans le réconfort de ses pensées. Emmanuelle l'avait croisée, deux jours après son transfert, et Fany avait crié : « Emmanuelle, ne m'oublie pas ! Mais, pour la lettre, ne pourrais-tu pas réessayer ? C'est pour Jimmy, cette fois ! Allez, pour Jimmy ! » Emmanuelle avait fait « non » de la tête plusieurs fois en la regardant disparaître au bout d'un corridor. Non, je ne t'oublierai pas. Et non, je ne peux plus essayer.

Cet énorme échec à aider une codétenue amena Emmanuelle à se désintéresser de ses camarades de pénitencier. Elle se mit à arpenter systématiquement la cour avec les jumelles. Pour les quelques jours qu'il lui restait à purger, Winchester était devenue son entraîneuse privée. Chichester les suivait, sa patte droite un peu croche, clopinant par moments. Elle leur criait des ordres, en vrai petit dictateur. Emmanuelle subissait un entraînement à la dure, qui la laissait terriblement souffrante et molle comme un spaghetti trop cuit. Quand elle était dans cet état et qu'elle apercevait des visiteurs, elle les regardait de manière très étrange.

Une fois, sa sœur, Kate, avait voulu venir la voir en prison, avec sa fille, mais Dieu qu'Emmanuelle avait été prise d'une honte névralgique. Elle avait refusé. Elle n'était là que pour trois mois, après tout. Voir Kate aurait empiré son état, de cela elle était certaine. Son refus avait mené à une profonde crise de larmes, sa sœur s'effondrant au téléphone, mais Emmanuelle, le cœur pétrifié, s'était refusé la moindre larme.

— Tu ne pleures pas? lui avait demandé sa sœur en reniflant.

Emmanuelle s'interdisait de vouloir partir avec les visiteurs, ou avec un inconnu, sinon, comment aurait-elle pu passer à travers les heures d'isolement, d'impatience? Voir une lueur d'espoir apparaître, puis disparaître l'aurait plongée dans une obscurité méconnue, toujours pire que la précédente.

Le problème majeur était que la tentative d'écriture avortée, cette faillite lamentable qui avait envoyé quelqu'un en psychiatrie, avait ramené la pénible image de Paris et de son anorak bleu à l'esprit d'Emmanuelle. Une stupide impression de déjà-vu. De la rage montait en elle lorsqu'elle y pensait, chose qu'elle s'était refusé de faire depuis dix ans, donc depuis leur séparation. Mais les déferlantes noires, l'impossible lettre d'amour, avaient eu gain de cause. Comme Paris avait eu le malheur théâtral de se faire arrêter le jour de leur mariage et qu'une tante ahurie, amoureuse du jeune couple, avait cru bon devoir courir aux trousses des policiers en leur lançant des cartons d'invitation à la tête, occasionnant ainsi une bagarre générale où chacun avait réglé ses comptes, de multiples arrestations avaient eu lieu et ils ne s'étaient jamais mariés. De cette journée, il ne lui restait que deux répliques. Celle d'un gendarme à Paris: «On vous arrête pour importation de télévisions.» Et celle de Paris: «On est sur une île, vous ne comprenez pas! Tout doit être importé, bande de cons!» C'est ainsi qu'Emmanuelle avait appris la nature des activités louches de Paris. Bien sûr, elle l'avait déjà vu acheter quelques télés sur le continent, avec elle en l'occurrence, des cadeaux pour un ou deux amis, mais elle ignorait que Paris avait mis sur pied un véritable réseau d'importation, avec des ramifications au port de Cythère. Dans les jours qui avaient suivi l'arrestation, elle avait été terrorisée de voir des inconnus venir chez elle lui remettre des cadeaux de sympathie. Ils avaient même des petits noms affectueux pour leur ami arrêté.

— Moi, c'est Morice, lui avait dit un homme en lui tendant des fleurs, alors qu'elle préparait son déménagement. Pauvre Toto. Le con.

Plus tard, deux autres hommes étaient venus déposer des victuailles, des œufs et du vin, devant sa porte. Ils s'étaient enfuis quand ils avaient vu l'ombre d'Emmanuelle dans la cour.

Elle les avait regardés partir, ces deux manteaux bruns à collets levés, puis disparaître en courant sur la route, sautant de roche en roche jusqu'à la mer. Elle les avait imaginés en train de converser avec Paris, ces jeunes hommes qu'elle n'avait jamais vus auparavant, et elle avait alors réalisé qu'elle ne savait rien de ses véritables fréquentations. Quand elle allait le voir jouer, lui et son groupe, Paris devenait bavard et blagueur entre les différents morceaux. Il cessait de se sentir mal dans sa peau. Emmanuelle s'en allait souvent avant la fin de la soirée, bien avant qu'il ne vienne la rejoindre dans leur lit, heureux comme un pinson, bien avant qu'il ne trame ses histoires de port. Elle n'avait rien vu, trop occupée à écrire son roman, à se baigner et à marcher au bord de la mer. Si, au moins, elle avait été mise au courant, mais elle était trop jeune, trop naïve, trop dispersée. Certes, elle avait vingt-deux ans, mais comme elle aurait souhaité être dans le coup et, par-dessus tout, connaître ses vrais amis ! Les vies parallèles ne devraient pas commencer quand on est si jeune, ou peut-être commencent-elles dès la petite enfance, alors qu'on prête un jouet à un ami et pas à un autre.

Jack syntonisa des chansons de Noël à la radio, sans penser que cela rappellerait Fany à Emmanuelle. Elle ne le jugeait pas, mais elle regardait son visage, malheureux et paisible à la fois, et elle lui en voulait encore. À la lecture de la lettre, son rire en avait-il été un de malaise, de gêne ou de méchanceté ? Qui sait pourquoi les gens rient ? Jack méchant, ça, Emmanuelle ne pouvait pas le croire. Elle fronçait les sourcils et continuait à le scruter. Jack semblait regarder une feuille de temps à peine complétée, perdu dans ses pensées. Noël lui rappelait très certainement d'étranges souvenirs et des visages aimés et disparus. C'était la chanson avec des clochettes et du piano qui chahutait à la radio, celle qui célèbre les balades en calèches avec une couverture sur les genoux. Emmanuelle trouvait que Jack avait l'air très louche. Il reçut un appel sur son cellulaire. Ne voulant pas baisser le volume de sa radio, il le prit sur le haut-parleur de son téléphone.

— Monsieur Jack Hardret ! s'exclama une voix de vieille femme, haïtienne elle aussi, sans nul doute.

— Oui Marie, c'est moi. Comment va Angie ?

— Très bien, monsieur Hardret !

— Et ses enfants? demanda Jack, de sa voix calme et grave.

— Elle n'a pas d'enfants. Vous parlez bien d'Angie?

— Oui, d'Angie.

— Non, Angie n'a pas d'enfants.

— Pas d'enfants, hon…

— Non, c'est sa sœur qui a deux enfants.

— Et vous, comment allez-vous, Marie?

— Bien. On ne voyage plus aux mêmes heures, n'est-ce pas? On ne se voit plus dans l'autobus. Et comme je ne me suis pas inscrite à cette session de cardio, alors on ne se voit plus du tout.

— C'est toujours Éric, le professeur? s'informa Jack.

— Toujours Éric, il me semble. Il est très bon, Éric.

— Oui très bon, Marie.

— Vous avez une bonne pension?

Rire de Jack.

— Marie, vous saluerez bien Angie pour moi.

— Et vous, l'honorable monsieur Côté.

— Oui, bien sûr.

— Au revoir, monsieur Hardret.

— Au revoir, madame Marie.

Jack raccrocha lentement et fit un autre appel après avoir enlevé la fonction haut-parleur. Il colla son téléphone contre son oreille, et Emmanuelle dut tendre la sienne.

— Allô? Non, Marie n'est pas encore morte. Non, je viens de lui parler. Tu vas avertir le comité artistique de l'entreprise? Bien. À toi aussi. Et à toute ta famille, la santé d'abord et avant tout, n'oublie pas.

Il raccrocha sans se presser, en regardant longtemps les boutons de son cellulaire, comme s'il s'agissait d'un nouvel objet dont il aurait ignoré le fonctionnement. Il appuya sur certaines touches en grimaçant un peu et il glissa le téléphone dans sa chemise de travail.

Emmanuelle fit quelques pas dans le corridor, en s'interrogeant sur ce qu'elle venait d'entendre et en essayant de spéculer le moins possible. Un petit anorak bleu à capuchon clignotait dans sa tête ; elle revint donc à ses pensées sur Paris et Cythère. Oui, certainement, un autre homme était venu porter des fleurs le matin de son départ, alors qu'elle se faisait des sandwiches au jambon, beurre et concombre pour la route, un monsieur plus âgé, de forte carrure, qui portait une grosse barbe noire, des lunettes fumées et, malgré la chaleur accablante, un jeans et des bottes de cow-boy. C'était le mois de juillet, et toute la végétation brûlait et partait en fumée. L'homme avait déposé très doucement un bouquet de lys blancs à ses pieds, sachant apparemment qu'il s'agissait des fleurs préférées de la douce de Paris, car Emmanuelle, cette fois, avait ouvert la porte, vêtue d'une petite robe fleurie que le vent agitait. Elle avait regardé l'inconnu, qui avait reculé, tête baissée, et avait murmuré des excuses pour Paris « votre mari », ainsi qu'il l'avait appelé. Cette attention avait troublé Emmanuelle au point qu'elle n'avait pu retenir un « merci », du bout des lèvres. L'homme s'en était allé vers sa rutilante voiture blanche et avait disparu à vive allure, dans un spectaculaire nuage de boucane, sur la route sinueuse. Elle avait apporté ce bouquet à Montréal, caché dans sa valise, et, quand elle était arrivée chez sa sœur, elle le lui avait offert. Étant demeurée chez elle quelque temps, elle l'avait regardé se faner, d'heure en heure, puis elle avait dû se résoudre à accepter sa nouvelle solitude. Elle avait visité ses parents à date fixe, terminé son roman, puis l'avait publié. Était survenue alors la petite bombe atomique, le meurtre crapuleux de tante Marthe, qui avait provoqué son départ précipité pour la campagne, la fuite du lièvre écrivain, complètement terrorisé. À Villa-Cruz, Emmanuelle avait été tranquille et, appuyée sur l'épaule de quelques sympathiques fumeurs des bois, elle avait pu vivre sa peine. En s'adonnant à la contrebande de cigarettes, avait-elle voulu secrètement prouver à Paris qu'elle aurait été excellente comme alliée dans la contrebande de l'île de Cythère? Ou avait-elle seulement suivi son penchant personnel pour le canot, le complot, les réunions obscures et la dissidence? Savait pas. Emmanuelle n'était pas au courant non plus des conséquences de l'arrestation de Paris; avait-il fait de la prison ou pas? Y avait-il eu d'autres conséquences? Elle l'ignorait. Succombant à la curiosité, elle avait fait des vérifications, au bout de quelques années, après une soirée bien arrosée, via un bottin électronique. Il résidait encore sur Cythère, mais s'était retiré dans un village au milieu des montagnes. Le lendemain matin, elle avait amèrement regretté d'avoir pu obtenir cette information.

∽

Le mardi, Emmanuelle alla parler à Jimmy Ferguson, le responsable de la bibliothèque. Jimmy était un anthropologue de formation. Âgé d'une trentaine d'années, il avait passé plus de seize ans en Inde où il avait été adopté spirituellement par des Rajputs rajanastis. Il était complètement obsédé par le désert. Inspiré par des Bishnois, peuple du Rajasthan qui vénère toute forme de vie, Ferguson se disait le protecteur de la vie. À l'abri des regards, il avait installé sa culture de prédilection, progressivement, jusqu'à ce qu'elle soit parfaitement implantée. Il s'habillait tout de blanc. Le matin, il étalait son long turban de neuf mètres devant lui et s'en faisait une parfaite torsade. On ne savait pas ce que cachait ce turban, mais il en mettait plein la vue. Le Rajput était un maître à penser pour plusieurs ; il prêchait l'acceptation de la vie telle qu'elle est. Pendant ses temps libres, il s'enfonçait dans les bois, grignotant branches d'arbres et champignons, la *Flore laurentienne* sous le bras. Il lui arrivait de marier les filles du pénitencier à des arbres. Les autres employés de la prison passaient outre quand ils le voyaient virer au mauve, car il acceptait de se laisser maltraiter par la vie. Emmanuelle ne pouvait s'empêcher de le regarder avec curiosité et envie. Jimmy lui avait raconté qu'à Udaipur, près du lac aux Palais, il avait eu de la facilité à écrire de la poésie, et spécialement après avoir assisté à la foire aux chameaux, à Pushkar. La peau brûlée par le désert, Jimmy jurait chaque jour qu'il allait quitter l'hiver, que l'hiver le rendait fou et qu'il devait partir. Grand rieur paradoxal, il était tout aussi persuadé que rien n'était meilleur ni plus beau que l'hiver québécois et que l'hiver, c'était la guerre à la place de la guerre. Pendant l'hiver, les hommes se ranimaient. Une énergie de jeunesse leur fouettait le sang, faisait pâlir les jeunes femmes. Il fallait mener la bataille. Mais il criait aussi parfois : « L'hiver rend fou ! » et s'enfermait dans son bureau en écoutant de la musique électronique dans ses écouteurs.

Emmanuelle commença par vérifier qu'il n'y avait pas de livres de Marguerite Duras dans la bibliothèque. Cela lui aurait causé beaucoup trop de tourments. Évidemment, puisque Mme Duras lui faisait si peur, elle aurait pu simplement éviter la bibliothèque, mais comme tout objet de répulsion exerce aussi une fascination, elle se sentait inévitablement attirée vers ses livres, sans pouvoir y faire quoi que ce soit. En ville, après avoir constaté que certaines bibliothèques étaient trop bien pourvues en œuvres de la célèbre auteure, elle avait abandonné l'idée de les fréquenter. Mais, en prison, il y avait une chance qu'elle soit en sécurité. Il fallait qu'elle le vérifie. Elle connaissait bien les codes de classification des romans, obsession oblige. Elle alla donc tout de suite vers les 848.9 Dura. Rendue là, à la vitesse d'un lynx, elle fit glisser son œil d'un livre à l'autre, les survolant comme une chouette rayée à l'affût d'un mulot. À vue de nez, aucun livre de la romancière n'était à la disposition des prisonnières. À moins qu'ils ne fussent tous sortis. Mais elle se convainquit que non. Elle pouvait donc circuler sans crainte dans la bibliothèque et aller tranquillement parler à Jimmy.

— Mon chum avait un caractère histrionique. Comme ma tante. Peut-être que, finalement, je cherchais inconsciemment ma tante…

Jimmy prit Emmanuelle par le bras et l'emmena dans son bureau. Elle se buta contre la porte battante et chercha encore ses mots…

— Il a…

Jimmy indiqua la chaise de bois. Elle s'y assit.

— J'ai… été…

Il quitta le bureau et retourna s'occuper des abonnées à l'avant, dont Winchester qui faisait des pompes à même le comptoir, une pile de revues *Man's Health* à ses côtés.

— … naïve…

Emmanuelle arpenta le bureau indien de Jimmy. Elle retenait sa stupéfaction. Il y avait beaucoup de bibelots, des sortes de *bizangos*.

— … très conne…

Elle retourna une statuette noire avec de gros seins et des cheveux en corde dans ses mains.

— … franchement niaiseuse…

Elle prit un livre qu'elle feuilleta machinalement.

— … incroyablement stupide…

Elle le remit à sa place, puis arpenta du doigt la carte du Rajasthan, épinglée au mur.

— … une vraie poufiasse…

Elle s'approcha aussi d'une carte du Mexique… les serpents… Elle imagina plein de serpents… Elle vit justement une sculpture représentant un serpent sur le bureau de Jimmy, entre des piles de manuels de géographie – *un obsédé des plaques tectoniques*, se dit-elle – et des bouquins de géomorphologie.

— Il n'y a pas de Duras ici ? lui demanda-t-elle quand il fut revenu dans le bureau.

— Marguerite Duras, hum… Je l'ai lue, mais non, j'ai rien ici. Je peux t'en commander…

— Oh, non, tu es gentil, ce n'est pas la peine, dit-elle, en hyperventilant. J'ai été terrible, terrible… Je me suis fait souffrir pour rien…

Elle lut la quatrième de couverture d'un livre portant sur les plaques tectoniques, feuilleta des traités d'astrophysique et de philosophie, puis un vieux livre français sur le corps humain, qui avait attiré son attention. C'était épouvantable. On y comparait les dimorphismes sexuels et on se demandait comment distinguer un homme d'une femme, hormis les organes génitaux. À partir seulement d'un visage, par exemple. Comment pouvait-on déterminer le sexe d'une personne juste en la regardant ? Des chercheurs français avaient consacré leur vie à cette question. Un livre d'horreur. Emmanuelle ne voulait pas se poser ce genre de questions.

— … le visage d'une truie…

Jimmy, qui était à nouveau sorti, rentra à ce moment. Emmanuelle sursauta. Elle venait d'apercevoir la section de son bureau réservée aux chameaux.

Jimmy, particulièrement flatté de toute cette attention, lui dit : « C'est mon principal sujet d'étude. »

Des rangées de classeurs et de livres étaient méticuleusement étiquetés par nom de lieu et de sujet.

Il ajouta : « C'est une étude qui porte sur le comportement des chameaux. »

Il crut bon d'ajouter, en retirant un exemplaire des tablettes : « … comportement individuel et bientôt social. Je couvre et documente l'existence des chameaux d'Udaipur, au Rajasthan, en Inde du Nord, pour les années 2000 en entier. »

Il continua : « J'y prépare un second voyage. Je veux retourner dans le désert de Jaipur, la ville rose. Après y avoir passé seize ans, j'ai voulu revenir ici, aux sources, à Villa-Cruz, puis j'ai trouvé ce travail l'an passé, mais le pays me manque, les chameaux surtout… Ça fait tellement mal, si tu savais, Emmanuelle, comme j'étouffe sans eux ! »

Il tomba assis sur sa chaise et cacha sa tête entre ses genoux. Emmanuelle le regardait de biais, maintenant inquiète. Elle y alla d'un geste franc et pointa la carte au beau milieu du désert. Il reprit une position normale. Il fit oui de la tête.

— Il y a une femme derrière tout ça ?

— Des filles, oui. Mes filles. Toutes mes filles sont là-bas !

— Ou un trafic de drogue que je n'arriverai pas à démasquer, bien sûr, parce que je suis trop...

Emmanuelle le regarda avec suspicion. Elle poursuivit :

— Tu n'es pas... Tu ne prends pas... Jimmy, tu ne ferais pas un trafic de drogue ? De la cocaïne, c'est ça ?

— Emmanuelle... Je suis détaché de tout ça... Tu pourras venir avec moi si tu veux... Mais sache que les chameaux sont ma priorité, je n'aurai pas beaucoup de temps à te consacrer, ce sera pour toi d'un ennui mortel...

Il était complètement indifférent.

Elle sortit, en faisant « tut tut » et en lui lançant un regard qui signifiait : « Je ne serai pas dupe deux fois. » Elle revint sur ses pas.

— Jimmy, je sais ce que tu prépares.

Elle l'attrapa par le collet.

— Ne fais pas ça !

— T'inquiète, Emmanuelle, je lis, c'est tout.

— On commence par lire et après on en veut plus, je sais ce que c'est. Oh là, là... Il y a quelque chose là-dessous.

— C'est la vie, Emmanuelle.

Elle sortit, ahurie, en remarquant, sur le bureau de Jimmy, une autre sculpture en céramique qui réunissait un enfant, un serpent et la dame aux gros seins. Le genre de statuette qui vous ensorcelle. L'enfant tenait, d'une main, un bol rempli d'une substance blanche, du lait peut-être, et, de l'autre, du venin, peint en vert. C'était peut-être juste ça, la vie. Jimmy aperçut l'objet dans la mire d'Emmanuelle.

— Un ami mexicain m'a donné cette statuette avec beaucoup de circonspection. Lui, c'est le serpent de pierre ou des pierres. C'est un être mythique qui n'est ni très connu ni souvent représenté, mais il est dans le vocabulaire des natifs. Tout ça vient de la montagne blanche, près de México, où, d'ailleurs, je voudrais aussi retourner, si j'arrive à quitter ce maudit emploi dont je suis prisonnier.

Jimmy rit de sa boutade et fit des gestes dramatiques pour chasser Emmanuelle. Elle se retrouva seule à une table de la bibliothèque. Voyager lui semblait un supplice à présent. Ce qu'elle donnerait pour faire du camping dans le salon de sa sœur, pour dormir sur son sofa ! Et pour manger des œufs-bacon avec elle ! Elle tomba dans la lune en regardant une autre détenue, aux cheveux gras, feuilleter une revue dans l'entrée de la pièce. Cette même jeune femme, plus tôt dans la semaine, lors d'une réunion de pastorale, avait pleuré en silence, tout en écoutant les autres parler d'elles-mêmes et de leurs problèmes. Elle avait soudainement levé la main et avait avoué avoir le VIH, elle aussi. Elle était capable, pour la première fois, de le dire à d'autres parce que le conférencier venait de faire le même aveu. Ne plus être seule dans sa situation changeait tout. Assister à une telle révélation avait chamboulé Emmanuelle qui avait trouvé la jeune femme héroïque et s'était demandé pourquoi cela arrivait en prison. Cette femme n'avait sans doute jamais ressenti un tel sentiment de délivrance pendant sa vie en liberté. C'était étrange. Le thème récurrent, celui qui revenait dans tous les témoignages, était le rejet par la famille. L'une des femmes était atteinte de schizophrénie. Elle riait toute seule dans les moments d'émotions, s'excusait quand on le lui demandait, puis recommençait à rire dès que les mots *Jésus* ou *foi* étaient prononcés, en se prenant la tête très fort entre les mains. Elle s'était fait réprimander. Emmanuelle s'était sentie très mal, car elle connaissait beaucoup de gens qui auraient eu, eux aussi, du mal à retenir un rire.

Le côté hypnotisant des paroles de l'Évangile lui faisait un effet bizarre et elle avait préféré laisser ces femmes à leurs secrets et à leur compréhension ou incompréhension mutuelle. Les discours étaient souvent déformés par la souffrance. Beaucoup d'entre elles pleuraient à l'écoute des témoignages de leurs consœurs, et le malaise d'être assises côte à côte, dans une certaine intimité, comme à l'école, était palpable, alors qu'Emmanuelle adorait les bancs d'école. Depuis le transfert de Fany, Emmanuelle se limitait à quelques relations, ne voulant pas étaler sa vie : Ardith, Jack et Jimmy, puis Win et Chi, les deux sœurs. Ardith avait connu Fany, c'était déjà là une grande qualité ; Jack aussi, d'ailleurs, bien évidemment.

Jimmy rangeait des livres sur les rayons. Emmanuelle remarqua par la fenêtre, pour la première fois, une croix en bois plantée sur une butte, au-delà des grillages. Elle suivit des yeux la chute de la neige sur les bras massifs de cette croix mouillée. Elle détecta dans l'air des effluves de whisky et remarqua que Jimmy venait de fermer la porte de son bureau. Avec son corps blanc et sa remarquable moustache rousse, Jimmy était l'exemple type de l'arnaqueur écossais, déprimé et par conséquent solitaire. Emmanuelle écrivit une lettre à sa sœur.

Ma chère Kate,

Je serai à la maison peu après le Nouvel An. J'espère que tu as passé de très joyeuses fêtes. N'oublie pas de verser du sirop d'érable et de mettre une Tylenol dans l'eau du sapin! Mais oui, je garde un œil sur les choses, même à partir de ma cage. Tes sandwiches me manquent, mais pas autant que le bruit de tes sabots idiots qui glissent sur le plancher de bois et qui te font tomber. Pourquoi les remets-tu immanquablement chaque année?

Kate, elle, ne se conduisait pas de façon scandaleuse. Elle avait atteint l'âge de raison à trois ans, avait une maison de campagne et une passion pour les chevaux de bois ainsi que pour les poupées format « enfant » qu'elle collectionnait depuis leur tendre enfance. Une pièce était réservée aux poupées – la plupart étaient encore emballées dans les pellicules de plastique qui les protégeaient –, et une autre, aux chevaux de bois. Âgée d'un an de plus qu'Emmanuelle, Kate était son phare. Bien installée dans sa vie rangée, elle s'amusait beaucoup des aventures d'Emmanuelle. La neige tombait maintenant légèrement. Emmanuelle pensa à son roman avec autorité et fronça les sourcils. Dix ans qu'il avait sombré dans l'oubli! Plus aucune librairie ne le gardait sur ses rayons. Elle détecta une odeur de cigare et pensa que Jimmy avait du plaisir dans son bureau et qu'il aurait pu l'inviter, s'il avait été le moindrement sociable. Son roman avait le visage du passé. Il portait le rictus de la solitude et sentait la vieille tapisserie, mais il semblait avoir été tissé dans un étrange univers d'organdi. La seule qualité qu'elle pouvait encore lui concéder, c'était cela, qu'il était tissé de respect pour son frère et qu'un reste de raffinement suranné y enveloppait la réalité. Pour Emmanuelle, le raffinement était une qualité aussi démodée, aussi essentielle, mais aussi insaisissable et fragile que le vol du colibri.

Elle sentait qu'elle n'appartenait à aucun pays, à aucun territoire, qu'elle était une véritable apatride, littéralement « sans terre des ancêtres ». Le Québec était très peu présent dans son roman. Beaucoup d'écrivains qui passent à travers le temps, pensait Emmanuelle, sont des gens qui transpirent leur pays. Ils sont *backés* par leurs paysages, soutenus par leurs racines. Mais ça, on ne le choisit pas. Ça nous pend en dessous des pieds, ou pas.

— Chichester, oui, j'arrive.

Elle venait la chercher pour faire des exercices à l'extérieur avec sa sœur.

Quand on lit ces écrivains, on lit un pays. On ne peut pas s'y tromper. Emmanuelle se repassait en mémoire certains auteurs qu'elle venait de lire : les Britanniques Harold Pinter et Oscar Wilde ; la grande Virginia Woolf ; les Français Vian, Proust, Balzac, Camus, Flaubert, oh il y en avait tant des Français, de vrais Français ; l'ombre des Japonais Kawabata et Mishima ; le miracle pragois : Rilke et Kafka ; les Russes Dostoïevski et Tsvetaïeva, inassouvis, cette dernière ayant participé, avec Rilke et Pasternak, à l'une des plus belles correspondances jamais publiées ; les Autrichiens Zweig et Jelinek ; le Colombien Marquez ; l'Espagnol Cervantes… Elle laissait voguer son esprit… Oh ! Dali n'avait-il pas couché avec le poète Garcia Lorca ? Passons… Quand elle pensait aux États-Unis… qui serait l'écrivain américain par excellence, après Hemingway ? De nos jours : probablement William T. Vollmann, l'écrivain culte. Pas Auster, pas à son goût. Il n'a pas l'odeur du sang, ni celle du bourbon Wild Turkey. Les deux Raymond, très certainement : Chandler et Carver.

Emmanuelle dit à voix haute :

— Oh que j'aime les deux Raymond !

Ou encore Capote? Ou celui qui voulut faire encore mieux que Capote, Norman Mailer?

— Oh que j'aime le petit et le grand.

Et au Québec?

— Oui, Chichester, je m'en viens.

Au Québec, deux génies: Anne Hébert et Hubert Aquin, aux initiales inversées.

L'autre jumelle faisait le pied de grue devant la bibliothèque en sifflant.

Emmanuelle continua de griffonner des noms d'auteurs sur une page. Du grand pays juif des exilés, c'était Hilsenrath, sans contredit, avec son sublimissime : « FUCK AMERICA » et d'autres aussi, bien entendu... Tous ces pays peuvent accrocher leurs écrivains *made in* comme des drapeaux, les suspendre à un mât et les faire voguer au vent, personne ne s'y méprendra. Ils ont les couleurs du pays tatouées partout, dans chaque livre, dans chaque phrase. Leur côté identitaire est si fort qu'il en devient universel. Elle était persuadée de ceci : il fallait appartenir à un peuple pour que ce peuple nous aime/accepte/déteste et que les autres peuples nous adorent. Les écrivains apatrides, comme elle, se baladent dans les tranchées des autres apatrides ancestraux, sur une plaine peuplée de fantômes, des anciens mercenaires pour la plupart. Emmanuelle espérait les rencontrer un jour, ces vieux sans famille, là-haut, afin qu'ils repoussent tous ensemble les vapeurs du Styx. Être sans pays n'était pas un défaut pour tous, et ce n'était pas désolant pour elle, mais il fallait tout de même qu'elle reconnaisse ses limites. Ce qui était hors de sa portée, de la portée de son arc, elle se devait de l'apprécier de l'extérieur et de s'en contenter. Cela la traumatisait et lui donnait même la nausée. Elle ne parlait pas un soupçon de joual, n'avait pas d'accent ou alors on lui prêtait parfois un accent « français de France », ce qui la fâchait, colère d'ancienne colonisée.

La bataille à finir, c'était celle de l'hiver ; là se trouvait l'ultime dénominateur commun aux écrivains québécois de tous les temps. Tous avaient bravé l'hiver et l'avaient raconté. *Behind the snow, we stand up.* En calèche, *we fight.* Avec le sang anglais qui coulait dans ses veines, elle était le sang sur la mince couche de neige verglaçante. C'était ça la crosse, le subterfuge, l'impossible réconciliation, ce qui fourrait tout le monde, y compris elle-même. Et quand elle écrivait des sacres québécois, quand elle laissait échapper un « esti », ou un « crisse », c'était avec une gêne légère, non pas de ces mots eux-mêmes, mais de ne pas savoir les dire, pour ne pas les avoir entendus dans sa famille. Emmanuelle savait qu'elle ne serait jamais une écrivaine du pays, car elle ne « sacrait pas sa race ». C'était ce qu'un ami lui avait dit : « Mets plus de sacres, Emmanuelle, câlisse. »

Emmanuelle dit, avec peu d'assurance :

— Sti ?

— Calvâsse…

C'était peine perdue. La politesse désuète de ses vieilles tantes aigries et poussiéreuses l'étoufferait jusqu'à sa mort. Voilà un bon indice qu'elle ne percerait pas le domaine de la littérature. Ses éventuels lecteurs verraient dans son unique livre une parcelle de son imaginaire, laissant des traces de pas dans la boue. À ces écrivains apatrides, qu'elle croisait dans les landes esseulées, elle faisait des « *high five*, drôles d'étrangers, soyez les bienvenus ! » Cela les faisait pisser bleu.

Emmanuelle partit s'entraîner avec les deux sœurs. C'est ainsi qu'elle passa ses derniers jours en prison, à s'armer de patience, dans le silence et la sueur. L'heure était venue de quitter la prison. C'est ce qu'elle fit le 2 janvier, après avoir serré dans ses bras Ardith, Jimmy et Jack.

Ardith : « Tiens bon, tiens bon dehors. » Elle lui fit un clin d'œil, derrière ses grosses lunettes bleues, et partit faire du bénévolat au service des médicaments. Dieu seul sait ce qu'elle faisait en prison, mais elle semblait être là pour encore un bout de temps.

Jimmy : « Va-t'en vite. » Il claqua la porte de son bureau. Une drôle d'odeur de ranci s'éleva, à croire qu'une partie de lui venait de mourir. Emmanuelle rouvrit la porte, il venait de vomir dans la corbeille, dans l'émotion d'un nouveau départ. Elle lui dit : « Bonne chance avec les chameaux », puis referma la porte en se maudissant mentalement d'une si mauvaise conduite.

Jack : « Il me ferait vraiment plaisir de vous revoir. » Emmanuelle reçut ce dernier au revoir comme la plus belle des promesses. Le téléphone de Jack sonna. Il répondit, sans le haut-parleur cette fois. Elle tendit l'oreille, ne pouvant s'en empêcher :

— Jack Hardret à l'appareil, j'écoute.

[...]

— Bonjour, madame Espérance. Comment allez-vous ?

[...]

— Eh bien, la famille va bien, toujours. Pas de problème. Et les enfants, comment vont les enfants ?

[...]

— Nouvelle-Zélande, vous allez les rejoindre en mai, eh bien, madame Espérance, bravo pour votre fils.

[...]

— Petit-fils, c'est formidable, ça ne nous rajeunit pas, hein, madame Espérance, je dois vous laisser, vous avez bien fait d'appeler, madame Espérance, très bien fait. Allez, hein, saluez-les tous de ma part. Je n'y manquerai pas. Au revoir.

Il raccrocha et téléphona sans hâte à une seconde personne :

— Oui, c'est moi. Bien, je t'en prie. Écoute-moi, E. n'est pas morte. Non, pas encore, du moins, elle parle encore. Mais non, je t'assure, je viens tout juste de l'avoir au bout du fil ! Il faudra donc avertir le comité artistique de l'entreprise. Bien. À votre femme aussi. Gros bisou. Et un gros câlin au plus petit. À l'église, oui, je n'y manquerai pas. Pas plus que ma femme, non, vous savez. Hé hé, allez.

Il raccrocha en essuyant son grand front avec sa manche. Emmanuelle aurait aimé connaître davantage Jack. Le connaître même intimement. Comme elle tournait le coin, elle l'entendit lui dire :

— Vous êtes écrivaine, Emmanuelle, à ce qu'on m'a dit ?

Cette question l'embarrassait. Elle répondit par une autre question :

— Pourquoi ?

Elle était sur ses gardes depuis Marguerite Duras. C'était louche, on utilisait les écrivains pour des causes obscures ces temps-ci.

— Tous les écrivains ont un personnage qui s'appelle Jack.

Emmanuelle rit, puis se rongea les ongles en courant. N'avait-elle pas écrit sur Jack, le chien de son frère Alexandre, dans son roman *Le lac gelé* ? Elle avait été obligée de le faire, vu l'importance que lui accordait Alexandre. Elle s'arrêta et murmura pour elle-même :

— Jack, c'est un très joli prénom, en effet, j'ai un personnage qui...

Puis un concierge leva le nez du plancher et une détenue la regarda comme si elle était une bonne amie. Emmanuelle se tut et disparut chercher ses effets, accompagnée d'une garde. À travers les corridors, Emmanuelle chercha des yeux les deux sœurs, en vain. Elles devaient être dehors, encore, à s'époumoner sous la neige. Elle quitta le pénitencier, avec un sac de toile blanche contenant toutes les affaires qu'elle avait laissées à l'entrée trois mois plus tôt. Elle se sentait ragaillardie physiquement, retrouvant l'envie de courir et dévalant les marches deux par deux. Il faisait un froid de canard : -25 °C avec le vent. Plus jamais elle n'écrirait. Peut-on écrire après avoir séjourné en prison, sinon sur la prison elle-même ? Elle était libre à nouveau, mais elle se considérerait toute sa vie comme une criminelle, en rupture avec la société. Cette idée lui était féconde, car elle lui permettait de se redéfinir à partir d'elle. Une paix intérieure avait eu le temps de faire son chemin lors de son incarcération, mais mal lui en prit. Sitôt sortie de prison, une nouvelle peur se mit à l'habiter, une toute nouvelle, dont elle n'appréciait pas du tout le goût. Elle ne se sentit plus à l'abri de rien. C'était étrange de penser ainsi, alors qu'en prison, elle en avait vu de toutes sortes, et d'atroces. C'était peut-être uniquement le changement qui l'inquiétait, il lui faudrait du temps, sans doute, car elle mettait toujours un temps fou à s'habituer aux choses et tout autant à s'en déshabituer. Elle crut comprendre les gens qui se pendaient en sortant de prison, mais se raisonna aussitôt, ébranlée. Elle prit un taxi pour Villa-Cruz, déposa ses bagages, une fois rendue chez elle, et téléphona à sa sœur. En voyant le numéro d'Emmanuelle sur son afficheur, Kate sursauta. Emmanuelle lui avait gentiment menti en lui disant que sa date de sortie était le 3, pour lui éviter de venir la chercher à la prison.

Elle dit prudemment :

— Emmanuelle ?

— Kate, je suis là, je suis sortie, c'est fini.

Elle voulut lui dire « plus jamais je n'écrirai », mais elle savait que cela ferait pleurer sa sœur, elle qui savait l'importance de l'écriture dans la vie d'Emmanuelle et qui n'aimait que son roman.

— Mais tu m'avais dit demain. Je devais venir te chercher !

— C'est bon, ne t'en fais pas, je suis sortie.

— Mais tu m'avais dit demain !

Elle ne renonçait pas facilement à une idée.

— Ça va, là, quoi, je peux venir chez toi ou non ?

— Mais… oui, bien sûr, Emmanuelle, viens ! Vite ! Je voulais être là à ta sortie…

Elle sentait le cœur serré de sa sœur, ça passait à travers le téléphone.

— Je prends l'autocar pour Montréal à midi. Puis je me rends chez toi en métro et en autobus.

— Tu ne veux pas que je vienne te chercher à la gare ?

— Mais non ! Reste avec ta fille, je vous rejoins très vite. Je t'embrasse, je t'aime.

Emmanuelle raccrocha. Les sanglots dans la gorge des deux sœurs les empêchaient de parler davantage. Elle arpenta son appartement en caressant du regard les choses qui n'avaient pas bougé depuis son incarcération.

La poussière roulait un peu plus sur le plancher, sinon tout était rigoureusement intact. Ses bottes d'automne couvertes de neige aux pieds, elle se laissa tomber sur un fauteuil, se couvrit d'une couverture et dormit pendant une heure. Elle se réveilla en se demandant où elle était ; c'était un bon vieux tour de son cerveau. Sa maison lui semblait incroyablement grande. Il lui faudrait de la patience pour s'y habituer. Le soleil entrait dans le salon ; elle observa la poussière voler devant la fenêtre. Elle jeta quelques vêtements dans un sac de voyage et se rendit à la gare. Le trajet durait deux heures. Deux heures de bonheur à se laisser conduire, à regarder défiler les paysages aimés et depuis longtemps oubliés ! Elle se laissa aller à admirer les forêts et les champs, puis les raffineries de Montréal.

Au terminus, elle prit le métro jusqu'à la station Sherbrooke où elle se dirigea vers un arrêt d'autobus. Elle avait oublié de mettre sa tuque, et ses longs cheveux bruns se couvraient d'une fine poudrerie. Elle courut pour attraper l'autobus qui démarrait au moment même où elle l'atteignait. Pour attirer l'attention, elle cogna à l'une des vitres en souriant à des passagers à l'intérieur. Alors que l'autobus accélérait, Emmanuelle glissa sur une plaque de glace, se tordit la cheville et, en poussant un cri aigu, se cogna durement la tête contre le trottoir avant de disparaître à moitié sous l'autobus. Des passants poussèrent des cris et des passagers de l'autobus hurlèrent au chauffeur d'arrêter. Tous espéraient voir Emmanuelle se relever, mais cela n'arriva pas. Le chauffeur se précipita vers elle, suivi de quelques passagers. Les autres refermèrent leur manteau en se croisant les bras, le vent d'hiver s'engouffrant dans l'autobus. Certains se plaignirent du retard que cela allait occasionner. Un passant tira Emmanuelle sur le trottoir. Ses jambes, heureusement, n'étaient pas passées sous les roues du véhicule. Un autre ramassa ce qui était sorti de son sac à main et le remit au chauffeur qui, lui, tremblait, en proie à un choc nerveux. Emmanuelle était inconsciente ; un peu de sang s'écoulait de sa tête. Les ambulanciers arrivèrent assez rapidement, et l'on entendit résonner les sirènes des pompiers. Emmanuelle fut transportée à l'hôpital Notre-Dame, qui était le plus proche. L'infirmière appela sa sœur, dont elle avait trouvé les coordonnées dans son carnet d'adresses. Kate faillit perdre connaissance quand elle apprit la nouvelle. Déjà, le retard d'Emmanuelle l'avait inquiétée, au point qu'elle avait appelé la compagnie d'autobus qui fait le trajet Villa-Cruz/Montréal. Paniquée, Kate demanda à sa voisine de dix-sept ans, irresponsable et droguée, de venir sur-le-champ surveiller sa fille. Elle ne pouvait compter sur son mari, car il l'avait quittée. Elle supplia la jeune fille, la menaça de graves représailles si elle n'acceptait pas, et lui promit beaucoup d'argent à son retour si tout se passait bien. Elle verrouilla bien la chambre aux poupées, puis celle des chevaux de bois, et se sauva, emportant avec elle plusieurs vêtements et une brosse à dents, car elle avait l'intention de rester auprès de sa sœur.

Kate arriva à la chambre d'hôpital, affolée. Elle prit une grande inspiration et poussa la porte. Emmanuelle, verte et inconsciente, semblait avoir perdu beaucoup de sang. Un bandeau de tissu blanc ceignait sa tête et un collier cervical maintenait son cou. Emmanuelle ne reprit connaissance que tard dans la nuit. Kate, en pleurs au-dessus d'elle, caressait ses cheveux. Emmanuelle lui sourit et prit sa main. Le lendemain matin, un médecin vint lui parler de sa commotion cérébrale, de son léger traumatisme crânien, de sa plaie ouverte, de sa cheville foulée, de sa chance dans sa malchance. Il ne lui fit pas la morale. Kate, elle, se mordait les joues pour ne pas la réprimander. Les antidouleurs aidant, Emmanuelle arriva finalement à parler. Elle demanda à manger. Elle se sentait assez bien, mais ne se souvenait ni de l'accident ni de son départ de prison. Quand Kate lui en parla, elle sombra dans un état de panique.

— Mais, Dieu du ciel, comment a-t-il pu m'arriver un truc pareil, Kate?

— Euh, Emmanuelle, je crois, selon ce que j'ai entendu dire, que tu te serais enfargée dans un lacet, ce n'est pas ta faute, c'est ta botte, et puis tu te serais cognée contre un autobus en marche et ouvert le crâne sur le béton, car il n'y avait presque pas de neige. C'est la faute de l'hiver québécois et du maudit changement climatique! S'il y avait eu plus de neige, Emmanuelle, tu ne te serais pas ouvert le crâne!

Emmanuelle soupira, puis se redressa, pleine d'espoir.

— Alors, est-ce qu'il est bleu, mon sang, en fin de compte?

Kate répondit par l'affirmative, et Emmanuelle fut soulagée. La fatigue et le travail cérébral lui donnaient la nausée.

— Le dernier souvenir que j'ai est la cafétéria de la prison. Je suis avec Jack et je lui fais mes adieux.

— Qui est-ce?

— Un gardien, à la prison. Et il me parle de Paris.

Kate eut un moment d'inquiétude pendant qu'Emmanuelle poursuivait:

— Paris… mon amour… Paris… Où est-il, Paris?

— À Cythère.

— Hum. C'est dans quel pays?

— Mais… en Grèce. Tu ne t'en souviens pas?

— En Grèce? Là où nous habitions?

— Exactement là où vous avez habité.

Emmanuelle s'endormit, le sourire aux lèvres. En se réveillant, elle vit que Kate avait laissé une note sur la table de chevet, où il était écrit: «Partie me chercher un casse-croûte, ne te sauve pas, tu es encore branchée! Bisous.»

Emmanuelle consulta son carnet d'adresses, puis composa le numéro de Paris, un long numéro outre-mer, celui qu'elle avait trouvé sur Internet par un beau jour de déprime.

Le téléphone sonna longtemps, pendant deux bonnes minutes, sans réponse. Sa sœur entra dans la chambre, et Emmanuelle raccrocha.

— Qui est-ce que tu appelais? demanda Kate, les sourcils froncés, prête à faire son travail de sœur.

— Un ami de Villa.

Kate s'assit près d'elle sur le lit et lui prit les deux mains, en pensant que dès qu'Emmanuelle aurait le dos tourné, elle vérifierait le dernier numéro composé à l'aide de la fonction *redial*.

La semaine passa, et Emmanuelle obtint son congé. Elle arrivait à marcher sur sa cheville, et ses points de suture à la tête étaient bien guéris. Elle camouflait sa cicatrice en se séparant les cheveux sur le côté. Elle demanda à sa sœur de la conduire à son appartement, à la campagne. Les vertiges s'étaient espacés, mais elle avait encore quelques nausées dues à la commotion cérébrale. Sa sœur n'aimait vraiment pas se séparer d'elle, mais elle accepta.

Quand elles furent arrivées à Villa-Cruz, Kate lui dit :

— Appelle-moi chaque jour, c'est un ordre.

— D'accord, Kate. Tu sais, j'ai oublié de te rapporter un souvenir de prison, mais je dois bien avoir gardé une lime à ongles, un rouleau de papier hygiénique ou quelques pilules quelque part...

— T'es niaiseuse.

Elles rirent de bon cœur, et Kate retourna à Montréal.

En regardant son appartement, Emmanuelle eut une seconde surprise. Il lui semblait si étrange. Elle défit son sac de voyage et mit ses vêtements au lavage. Elle vérifia que ses cartes étaient toujours dans son portefeuille. Elle y trouva quelques billets, une photo de sa sœur et une d'elle-même, en robe de mariée, seule, sous les eucalyptus en fleurs. Elle s'assit, pensant à son mari. Paris. Elle s'allongea, et un sentiment d'amour intense l'inonda. Des images de Cythère défilèrent. Elle se revoyait, marchant main dans la main avec Paris, sur la plage. Elle alluma la radio. Au bulletin de nouvelles, on rapportait qu'un policier grec s'était pendu avec sa barbe. Emmanuelle fut persuadée qu'il s'agissait de Paris. N'était-il pas policier ? Elle appela sa sœur, un whisky à la main. Kate était sur la route du retour, son cellulaire à l'oreille.

— Kate, tu as joint Paris récemment ? Je veux dire pour mon accident, tu l'as mis au courant ?

— Euh, non, Emmanuelle. Qu'est-ce que tu chantes là ? Certainement pas.

— Ah, bon. Il est en Grèce, pas vrai ?

— À Cythère. Tu sais bien.

Emmanuelle ne se le rappelait pas.

— Bien sûr, je sais bien. Elle est bonne! Je t'aime, ma sœur. Embrasse poupou. Oh, Kate, Paris, il travaille toujours là-bas, n'est-ce pas?

— Oui, Emma, mais…

— Comme policier, non?

Kate explosa d'un rire soudain.

— Il est musicien.

Emmanuelle raccrocha en disant « merde », peu fière d'elle-même et persuadée que sa sœur la prenait pour une folle de ne pas savoir qui était son propre mari. C'était à elle d'aller lui apprendre ce qui lui était arrivé, de lui donner de ses nouvelles. Elle acheta un billet d'avion, aller simple, pour le mois de mai, pour que l'île soit bien fleurie. Elle était secouée par une folle envie de romantisme. Le mois de mai venu, elle s'en alla le rejoindre, pour lui faire une surprise, le cœur battant, une photo d'elle en robe de mariée dans sa poche de jeans. Elle partait lui avouer son amour fou. Décidément, elle avait oublié qu'ils étaient en mauvais termes, qu'ils ne s'étaient jamais mariés et qu'elle le haïssait pour le tuer. Elle posta une lettre à sa sœur, pour le lui annoncer:

« Je m'en vais rejoindre mon mari. »

Il fallait trois jours à une lettre pour traverser les rues de Montréal. Elle aurait, d'ici là, quitté le pays, et serait, depuis plusieurs heures déjà, bien au chaud dans les bras de Paris, pensait-elle. Quand Kate reçut la lettre, elle se rua à l'aéroport, mais il était trop tard, Emmanuelle était partie la veille. En pleurs, Kate dit alors à la préposée:

— Ah oui, on laisse partir les ex-détenues maintenant? Comme ça, sans prévenir la famille?

La préposée, légèrement inquiète, fit un appel.

— On me dit qu'elle a payé sa dette à la société.

— Ah oui, et est-ce que la société a payé sa dette envers toi pour t'avoir donné un air aussi bête ?

Kate reçut deux contraventions en revenant à la maison, l'une pour excès de vitesse et l'autre, pour avoir insulté un policier. Emmanuelle et Kate n'étaient pas si différentes, finalement.

Paris Shetland

Emmanuelle se sentit folle de joie de revoir les paysages presque lunaires de Cythère. À croire qu'elle avait bu de l'hypocras comme d'Artagnan, ce vin de miel, de cannelle et de gingembre qui réveille les morts, comme le ferait un piment fort, et leur donne une deuxième vie. Elle jubilait de cette seconde chance. L'île, à peine transformée après dix ans par certains développements, gardait son air d'antan. L'odeur des eucalyptus rendait la vie à nouveau possible. Elle trouva à se loger dans l'est, à Avlémonas, le petit port où Paris et elle avaient jadis habité. Le port n'était plus à l'abandon. Il était devenu un charmant village, avec deux restaurants, dont l'un reconnu pour son spaghetti au homard, et un café tenu par un Albanais, dont le chocolat chaud viennois faisait le bonheur d'Emmanuelle. C'est au-dessus de ce café qu'elle logeait, de sorte que le chocolat chaud de l'Albanais était à portée de main.

Le lendemain de son arrivée, un dimanche, c'était jour de marché au village de Potamos. En sortant, elle eut très peur d'une méchante oie qui surveillait la maison, tout comme ses ancêtres qui étaient de féroces gardiennes de logis au temps d'Homère. Elle la tint à distance à l'aide d'un long bâton de bois et se rendit au marché sur le scooter qu'elle avait loué, dès son arrivée. Potamos était un village situé dans les collines, au nord de l'île. Les gens du Nord, principalement des paysans, étaient appelés les habitants de l'extérieur par les gens du Sud qui, eux, étaient les habitants de l'intérieur, des descendants des nobles qui avaient habité le château vénitien, immense vestige de l'invasion italienne. Dieu qu'elle aimait se retrouver dans la région de l'extérieur, avec ces paysans dont les ancêtres étaient révolutionnaires! En ce mois de mai, il y faisait frais, autant dans les montagnes que dans les vallées verdoyantes. C'était à Potamos que les agriculteurs venaient vendre leurs produits: patates de l'île, miel au thym, olives et leurs huiles, feta et vin maison. Elle fit quelques achats, passa voir le petit pont anglais, puis s'installa à la terrasse d'une ouzerie et commanda des poulpes grillés et une salade de tomates, feta et olives noires. Sa robe volant au vent, elle termina son délicieux repas et commanda un café, prit un journal américain, le seul autre que grec, et attendit sur la terrasse. Comme c'était jour de marché, Paris passerait forcément par là, à une heure ou à une autre.

Alors qu'elle revenait des toilettes, une heure plus tard, elle le vit à travers la vitrine. Il sortait d'un petit magasin, de l'autre côté de la rue. Emmanuelle retint son souffle. Il n'avait presque pas changé, seulement un peu maigri, peut-être. Il avait rasé ses cheveux blonds et il portait une courte barbe négligée. Elle pouvait déjà voir ses yeux émeraude briller. Il parlait avec un marchand. Il avait toujours aimé parler de tout et de rien, et elle aimait les gens bavards. Sa chemise à carreaux était ouverte sur son torse, et le vent en faisait bouger les pans. De l'intérieur du café, Emmanuelle regarda vers sa table, sur la terrasse, lorgna sa tasse de café, son *New York Times* ouvert à la page cinéma, retenue par un cendrier. Elle ne bougea pas. Paris marcha jusqu'à sa voiture et lança ses sacs dans le coffre. Une orange s'échappa et déboula la pente. Il courut après, puis revint le sourire aux lèvres, en la frottant et en se parlant tout seul. Elle rit de le retrouver aussi gaillard qu'avant. Il s'assit au volant de sa voiture, mit ses lunettes fumées, s'alluma une cigarette et démarra. Quand sa voiture dépassa Emmanuelle, elle voulut sortir du café pour lui faire des signes, mais elle aperçut, à l'arrière de l'auto, un siège d'enfant. Sa joie disparut. Elle attendit qu'il ait disparu au bout de la route, derrière la rangée de lauriers-roses, et revint s'asseoir sur la terrasse. Elle but plusieurs gorgées d'eau. Quelqu'un avait mis de l'ordre dans la vie de Paris. Quelqu'un avait même mis la main sur lui durant son absence, sur ses jours, sur ses soirées et sur ses nuits. Quelqu'un avait même organisé sa vie, car Emmanuelle savait que Paris ne voulait pas d'enfants, n'en avait jamais voulu. Combien de temps s'était écoulé depuis leur dernière fois? Dix ans, oui. Pourquoi l'aimait-elle autant, alors? Aucune idée, mais elle était prête à tout lui pardonner. Elle ne se sentait pas assez en forme pour le faire, mais elle le fit quand même. Elle paya, enfourcha son scooter et le suivit, à toute vitesse.

Il n'allait pas vers le port, mais à l'opposé, vers l'autre rive, vers l'ouest. Elle le suivit d'assez loin, mais ne le perdit pas de vue une seconde. Ils arrivèrent à une petite baie magnifique, sentant la sauge et le thym. Paris emprunta une allée de gravier, entre deux rangées d'oliviers, et Emmanuelle arrêta son scooter, juste après lui, près des bosquets. Elle partit à pied. Ce qu'elle vit la terrifia et l'émerveilla en même temps. Paris vivait dans une grande villa, qui lui rappela une vieille maison anglaise. On aurait cru le manoir ancestral de Lord Byron. Les volets étaient peints en rouge, ce qui était d'un ultime mauvais goût à côté des murs en pierres des champs. Comment un gamin de l'est de Montréal, un musicien aussi pauvre, avait-il réussi à se payer une chambre dans cette demeure?

— Et merde, j'y vais..., siffla-t-elle entre ses dents. Je ferai semblant d'être une touriste perdue, c'est un subterfuge efficace.

Elle marcha jusqu'à la demeure. Des lettres vermeilles ornaient le dessus du portique et, sur une plaque de bois, on pouvait lire: «Hotel Saint James». Visiblement, cela n'en était plus un. Elle en fit le tour en se penchant sous les fenêtres pour ne pas être vue. Elle aperçut alors, dans la cour, une femme magnifique aux cheveux couleur prune, qui chantonnait avec une voix si jolie qu'Emmanuelle ne put retenir sa jalousie. Elle se colla aux murs et l'observa. La femme étendait du linge sur une corde. Dans un vaste champ derrière elle, des violettes sauvages rivalisaient avec des chèvrefeuilles et des véronicas. La dame avait un corps sublime. Ses formes étaient si voluptueuses, si rondes, si parfaites dans une robe de dentelle noire si légère qu'on l'aurait crue à peine sortie du lit. Emmanuelle voulut s'en retourner, mais quelqu'un l'arrêta et lui fit faire volte-face brutalement. C'était Paris. Il l'embrassa si furieusement qu'elle s'égratigna les bras sur les branches des vignes grimpantes. Elle l'agrippa à son tour de toutes ses forces. Ils s'embrassèrent contre les murs anciens pendant qu'il lui ébouriffait les cheveux comme si c'était la chose qui lui avait le plus manqué au monde. Entre les respirations, on entendait le lied de la femme au loin. Il n'y avait pas de vent. Paris remonta la robe d'Emmanuelle.

— Emmanuelle, tu ne m'en veux donc plus ?

Elle le regarda avec un air interrogateur.

— Mais non, je ne t'en veux pas…

Les yeux verts de Paris brillaient. Un sentiment brûlant et dur se réveilla en elle. Non loin, le chant de la femme s'arrêta. Les yeux d'Emmanuelle s'agrandirent. L'ivresse du baiser s'envola. Elle poussa Paris et courut vers un sentier caché par les oliviers.

— Attends ! s'exclama Paris.

La femme grecque apparut à ses côtés avec son panier vide. Paris prit le tuyau d'arrosage, se lava le visage et les mains, puis lança de l'eau à la belle qui lui dit :

— Tu ris, Paris ?

— Je dois retourner m'occuper des invités, ils sont tous arrivés pour le club de lecture.

Elle fit des yeux doux à Paris et se dirigea vers la porte. Emmanuelle courait maintenant à toute vitesse sur le chemin de gravier. Alors qu'elle apercevait son scooter au loin, une auto s'arrêta à sa hauteur. Un homme dans la cinquantaine, barbe noire orthodoxe, chemise boutonnée jusqu'au col, air presque monarchique, l'interpella.

— Personne ne vous a répondu ? Vous avez sonné ?

Emmanuelle ne dit mot, surprise d'entendre parler français.

— Vous venez pour l'emploi ? Vous êtes muette ?

Emmanuelle resta silencieuse.

— Venez, je vous y amène. Je ne veux pas risquer de vous perdre vous aussi, il y a tellement peu de femmes dans ce coin. Allez, montez !

— Non, non !

— Mais allez!

Il sortit et poussa Emmanuelle dans l'auto.

— Je m'appelle Panagiotis, mais tout le monde m'appelle Pablo. Je suis d'Athènes, mais j'ai étudié à Paris. Le théâtre.

Il se sentit soudain nostalgique. Son français poussiéreux était impeccable, et ses r roulaient comme la mer Égée sur les galets de Paleopoli. Il était corpulent, avait un large front dégarni. Son cellulaire sonna et il y répondit en parlant très fort: «Endaxi, endaxi.» «D'accord, d'accord», comme s'il s'impatientait. Son bras gauche s'élevait très haut et venait s'abattre près de sa cuisse, pour ponctuer ses phrases, tel un fouet sur la chair.

— Quel crétin! C'est un Albanais. Un idiot. Un idiot. Vous êtes française?

— Québécoise.

— Bravo, dit-il en roulant son r. Je vis avec ma fille, Helena, et un musicien paria, Paris, qui est québécois aussi. Nous avons besoin de vous. Plus rien ne va dans cette maison.

— D'accord.

— Vous êtes intéressée par la littérature, non? C'est que je tiens un club de lecture dans cette maison. Vous viendrez. Les membres du club sont tous des francophiles établis à Kythira, ou Cythère, si vous préférez. Certains sont français et d'autres belges, mais il y a des francophones d'un peu partout. Il y a aussi des Grecs en apprentissage de votre langue, ce qui leur fournit un prétexte pour venir boire mon whisky. Toujours vers 15 h, après la sieste. D'ailleurs, nous sommes en retard.

Il essuya la sueur qui perlait sur son grand front bronzé.

— Je ne sais pas en quoi consiste cet emploi, dit avec curiosité Emmanuelle, aveuglée par le soleil.

— Vous verrez, ce sera facile, somme toute du travail de bureau. Vous avez mangé ? Où demeurez-vous ?

— J'ai dîné à Potamos. Mais j'habite à Avlémonas.

— Le meilleur restaurant de l'île s'y trouve, c'est chez Sotiris. Je vous présenterai. Le meilleur. À l'autre restaurant du port, ça sent mauvais. On y brasse des affaires au noir. N'y allez jamais.

Il démarra en trombe, puis se stationna dans l'entrée de la belle maison anglaise. Cela sentait les roses comme jamais Emmanuelle n'en avait senti. Il sortit de l'auto, lui ouvrit la portière, la prit par les épaules et chaleureusement l'entraîna à l'intérieur. Il semblait très intéressé par la nouvelle venue.

— Une petite Québécoise ! cria-t-il pour annoncer son arrivée.

— Oh, monsieur, pas si vite, je suis mariée.

— Le travail vous ira ? Vous le prenez, oui, par devoir ?

— Oui, dit-elle, certaine que se trouvait dans ce sacrifice le seul moyen de récupérer Paris.

— Bravo, bravo, dit-il, nonchalamment cette fois, en la poussant plus avant.

Je vais faire une femme de moi, se dit-elle.

— Voilà une bien belle demeure.

— Je l'ai achetée avec ma famille, il y a longtemps. Elle tombait en ruine. Elle date de l'occupation anglaise de Kythira, vers 1840, un mauvais souvenir pour notre peuple. Du passage des Anglais sur l'île, il reste deux jolis ponts, construits par amour pour une Grecque, et les vestiges d'une petite école unique en son genre.

Emmanuelle se dit que Paris n'avait dû parler de leur mariage à personne, avec cette fantastique femme à ses côtés et ce siège d'enfant qui s'interposaient désormais entre eux deux. Pablo se mit à hurler en grec. Plusieurs hommes étaient déjà en train de discuter dans un salon retiré, assis sur des sofas parsemés de coussins tissés à la main. Quand Emmanuelle passa les portes du salon, Paris s'étouffa et posa une main devant ses yeux, comme pour se concentrer, puis reprit son souffle.

— Juste à temps pour le cercle de lecture, dit-il.

— … de toute façon, à cette époque, quel artiste ne mourait pas à Paris…

En grande conversation, les hommes rigolèrent.

— Voici votre nouvelle secrétaire, annonça Pablo.

Emmanuelle salua d'un signe de tête, puis s'assit sur l'unique chaise libre. Les hommes la regardèrent, un peu gênés par sa présence.

— Bonjour, lui dit Paris.

— Bonjour, lui répondit-elle.

— Continuons notre discussion d'hier, dit-il à l'assemblée.

Certains hommes toisaient Emmanuelle comme si elle venait de sortir d'une mare de boue. D'autres l'ignoraient en levant le nez, faisant tourner de temps en temps le whisky dans leur verre d'une main experte. Comme si la vie lui interdisait d'être là et qu'elle avait été envoyée par le diable.

Ils avaient tous un exemplaire de *L'amant* de Marguerite Duras à la main.

— Non, revenons plutôt sur sa vie, se reprit-il.

Avec des exclamations senties, ils sortirent tous la fameuse biographie d'Alain Vircondelet de Mme Duras.

Emmanuelle se leva, recula légèrement sur ses jambes molles, et alla s'appuyer contre un mur. Les livres de Duras volaient de main en main, et les hommes en parlaient en termes crus, très violents. Une nausée vertigineuse gagna Emmanuelle qui fonça la tête la première vers la porte. Elle s'enfuit en marche rapide comme un lièvre dans un cauchemar. La couverture de L'amant tourbillonnait dans sa tête. Épuisée, appuyée contre un arbre, elle était secouée de spasmes. Pourquoi fallait-il qu'elle retrouve Paris dans une secte de Duras? C'est elle qui devait avoir l'air fou maintenant. Au bout d'un certain temps, elle décida d'y retourner. Ils étaient peut-être déjà passés à autre chose, à du Zola, ou à n'importe quel autre auteur aimé par le fils du jardinier. Lorsqu'elle réapparut, Pablo lui expliqua que son travail consistait à retranscrire les meilleures citations de Duras et de ses admirateurs et à faire des résumés de ses œuvres. Les deux bras levés, il déclara:

— Emmanuelle, vous êtes dorénavant la secrétaire du club de lecture consacré aux œuvres de Marguerite Duras.

— Votre club de lecture se consacre aux œuvres de… cette auteure-là, exclusivement?

— Uniquement, répondit Paris.

— Strictement, renchérit un autre homme.

Elle tenta de s'échapper. Paris se leva pour la ramener à sa place. Emmanuelle nota que ses sourcils étaient froncés et qu'il arborait cet air d'animateur furieux qui lui déplaisait. Elle s'excusa et reprit congé. Paris la suivit et lui demanda ce qui lui arrivait. Elle lui dit, en lui claquant le bras:

— Je ne peux pas m'intéresser aux œuvres de Marguerite Duras. Je vais m'enlever la vie!

— Personne ne te demande de t'y intéresser, tu n'as qu'à prendre des notes et à résumer ce qui se dit. Pablo est un homme de théâtre très riche, il aime avoir les comptes rendus de nos réunions. Le salaire sera bon.

— Mais je ne peux pas, Paris.

Il voulut la prendre dans ses bras, mais elle le repoussa brutalement. Elle avala difficilement sa salive. Comment avait-elle pu omettre de lui parler de sa phobie ? Avait-elle refoulé Duras si loin qu'elle n'en avait jamais parlé à personne, elle qui croyait que sa répulsion était écrite sur son front ? Elle avait des fourmis dans les mains. Paris l'hypnotisait par sa beauté : ses yeux vert pâle scintillaient aussi de jaune et de bleu, et la lumière illuminait sa peau diaphane et les anciennes cicatrices d'acné sur ses joues et ses tempes. Paris était asthmatique et devait prendre de la cortisone tous les jours, jusqu'à sa mort. Énervé comme il l'était, il respirait tellement fort qu'il semblait ronfler debout.

— J'ai juste une question, Paris. Pourquoi ? Pourquoi cette auteure ?

— Parce que tu me l'as fait découvrir, avec son livre *Écrire*. Depuis, j'ai tout lu d'elle. Je suis même allé à Paris, pour voir sa maison, rue Saint-Benoît…

Il sourit. Elle l'interrogea du regard, l'air inquiet. Paris lui demanda :

— Pas toi ? Je pensais parfois te croiser, en sillonnant les rues de Saint-Germain-des-Prés, sur ses traces…

— Chut, mais tais-toi, tais-toi, lui ordonna Emmanuelle.

— Quoi, ne l'adores-tu pas ? N'as-tu pas tout lu d'elle ?

— Non, rien ! Jamais !

— *Écrire* ?

— Oui, uniquement ! Voyons ! T'es fou ! Franchement ! Ne me parle plus d'elle !

La grande brune aperçue dehors arriva par la salle à manger.

Emmanuelle attira Paris à l'écart.

— C'est qui, celle-là ? lui demanda-t-elle. Tu couches avec elle ? C'est ça ? Comment oses-tu me faire ça à moi !

— Arrête de crier.

— C'est qui ?

— C'est Helena, la fille de Pablo. Elle nous fait à manger, elle fait la lessive et les courses, elle lave les planchers, c'est un peu comme ta domestique dorénavant. Comme à nous tous.

— Tu rigoles, Paris ?

Elle ne lui connaissait pas ce côté détestable.

— Emma, pourquoi détestes-tu tout ce qui est confortable ?

Il la prit par les bras.

— N'as-tu pas envie, toi aussi, de vivre à l'aise ?

Elle le regarda en rentrant son menton dans son cou, de façon très disgracieuse, surprise.

— Ne vois-tu pas qu'on se dispute déjà, Paris… On se doit de faire mieux. Où est ta chambre ?

— Elle est en haut, mais j'ai beaucoup à faire, je préfère dormir seul. Ça fait trop longtemps, dix ans, Emmanuelle, sans message, sans débarquer. Je n'avais pas prévu ça. Je me lève très tôt… Je te vois demain, Emmanuelle.

Paris regagna le salon. Les hommes bavardaient encore à voix basse, éclairés par des bougies. Emmanuelle pensa qu'il était prévisible que l'absurde la rattrape un jour. Elle passa rapidement devant le salon pour rejoindre le vestibule, en évitant de croiser leurs livres du regard, et le regard des livres.

— Où vas-tu? demanda fortement Paris.

— Ce n'est pas parce qu'on est mariés que je dois te rendre des comptes. Après tout, je viens seulement travailler. Je vais à la pension chercher mes bagages. D'ailleurs, tu devrais venir avec moi.

Surpris, les hommes levèrent le sourcil, puis continuèrent leur discussion. Paris, dans l'ombre, comme un ange au crâne noir, la regarda partir avec une étrange peur, celle de reconnaître le coup de vent, celle de la voir disparaître à nouveau, une fois pour toutes. Il craignait aussi la réaction de Pablo à l'étonnante affirmation d'Emmanuelle. Pourquoi avait-elle dit qu'ils étaient mariés? Devant son beau-père de surcroît. Était-elle devenue folle?

— Paris, mais qui est cette étrange jeune femme? ne manqua pas de lui demander Pablo. Elle est souffrante?

— C'est mon ancienne copine, avec qui j'ai habité ici. Je ne suis pas mariée avec elle, je ne sais pas pourquoi elle a dit ça. Nous avons été quelques années ensemble, au début de la vingtaine, c'est tout.

— Elle a pourtant dit que vous étiez mariés.

— Nous devions nous marier, mais nous ne l'avons pas fait. Nous nous sommes beaucoup aimés. Comme dans L'amant...

Des sourires de complicité se dessinèrent sur les lèvres des hommes. Il continua:

— Il y a quelque chose qui ne va pas, elle doit être malade, je ne sais pas. Le jour où on devait se marier, elle n'a vraiment pas eu de chance.

— Quelle connerie as-tu faite?

— Je me suis fait embarquer par les policiers, juste avant l'échange de vœux.

Les hommes hésitèrent à rire.

— J'étais impliqué dans cette contrebande de télévisions, les conteneurs, vous savez, à Agia Pelagia. C'est moi qui les trimballais d'Athènes.

— Comment?

— Mais par bateau, voyons! Je ne sais pas ce qu'elle a. Elle a dû oublier, elle a dû vraiment oublier ce passage.

— On l'oublierait à moins. Je crois, Paris Shetland, que tu es un bon à rien qui trompe sa femme depuis ce jour, cria Pablo, enragé.

Paris s'approcha de la porte. Il regardait Emmanuelle marcher dans le noir, avec la peur qu'elle lui échappe.

— Puisque ça ne s'est jamais passé!

— Un verre? lui offrit un ami.

Les hommes se regardèrent étrangement.

— Puisque je vous dis que ce n'est pas ma femme! cria-t-il en repoussant le verre.

Il sortit en contournant Pablo, qui le foudroyait du regard et lui lança, en guise d'insulte :

— Puisque j'aurais voulu être une staaaaaaaaar!

Il reprenait ainsi, en s'en moquant, les paroles que Paris avait prononcées, en pleurs, lors d'une soirée bien arrosée. Meurtri, Paris prit sa redingote et sa casquette qui était écrasée sur le banc à l'entrée. Comme il allait sortir, Helena, que les cris avaient attirée, voulut se lancer à ses trousses, mais son père l'en empêcha :

— Helena! hurla-t-il.

Elle s'arrêta net, les larmes aux yeux.

— Ce Paris, il n'est pas net, dit Pablo.

Il parlait en français pour que Paris comprenne bien. Celui-ci s'était immobilisé au seuil de la porte.

— Il a peut-être déjà une femme, continua Pablo. C'est pas net, je te dis. Il faudra que la nouvelle secrétaire se tienne en dehors de nos affaires de famille, qu'elle se contente de faire son travail. Je veux juste qu'elle soit là.

— Avec Paris, susurra Helena.

— Bien sûr avec Paris. Paris reste, il restera toujours, il n'est pas question qu'il parte. Il est avec moi. J'ai besoin de son aide. Il fera la musique de tous mes films. Il jouera l'amant. Va te reposer, ma fille, va. Je dois discuter de culture avec les hommes.

Il caressa le ventre d'Helena tendu par une première grossesse.

Helena partit comme elle était venue, comme un chat, portant son éternel panier de linge à plier. Le plus lourd à porter pour elle, cependant, était de ne pas pouvoir être avec Paris à qui elle vouait un grand amour, tout comme à leur futur enfant. Mais la présence de Pablo compliquait leur relation, car il était très possessif. Il voulait tout posséder, ce qui revenait à ne rien aimer du tout. Il était aussi en mal de reconnaissance. Il avait été un grand dramaturge et un scénariste acclamé, mais avait perdu toute gloire après avoir fait un faux pas politique. C'était sa vraie passion, la politique, mais il en était exclu depuis qu'il avait craché sur une journaliste lors des célébrations de la pâque orthodoxe.

Paris courut sur les traces d'Emmanuelle qu'il rattrapa comme elle était sur le point de sauter sur son scooter. Il l'obligea à se tourner vers lui. Elle lui sourit tristement, contente qu'il se soit donné la peine de la rattraper.

— Paris, c'est si magnifique de te retrouver à Cythère…

— Qu'est-ce qui t'est arrivé ? Tu es malade ? Tu as eu un accident ?

— Pourquoi dis-tu ça ?

Paris la regardait en lui tenant les bras.

— D'accord, j'ai eu un accident, oui. À la tête.

— À la tête? De quoi te souviens-tu? Par rapport à nous, je veux dire.

— Je me souviens de l'essentiel… de notre mariage. Et que je suis partie, et toi, tu as dû rester ici pour ton travail de musicien. Tu disais ne pas pouvoir quitter ton groupe. Je vois maintenant que tu as refait ta vie; je devrais m'enfuir, tu me diras. Mais tu vois, Paris, il y a quelque chose qui me retient.

Il embrassa ses lèvres chaudes. Il ne voulait pas lui dire la vérité. Il voulut profiter un peu du moment.

— Regarde, nous sommes ici ensemble, Paris. Dans nos montagnes, près de notre bord de mer. J'ai vu tellement de belles maisons à vendre, en allant au marché, avec de grandes terres cultivables, pourquoi n'achèterions-nous pas une ferme?

Il serra les lèvres, dubitatif, pendant qu'elle continuait:

— Avec des granges, un poulailler. Un cabanon de bois transformé en studio pour ta musique.

— Ça fait longtemps que j'ai rangé mon saxophone, Emmanuelle, dit Paris, comme pour lui rappeler qu'elle n'était pas venue le voir durant dix ans.

— Ce n'est pas une raison pour mettre une croix dessus. Comme tu avais mis une croix sur moi…

— Oui, ça c'est vrai. J'ai vraiment cru que tu ne reviendrais jamais.

Elle eut un tic nerveux d'incompréhension qui lui fit hausser les épaules. Elle regardait l'immense sourire de Paris, ses petites dents inférieures, blanches et croches comme celles d'un chiot prêt à mordre. Elle glissa ses mains froides dans les poches du pantalon de Paris, sur ses cuisses musclées qu'elle adorait tant, encore brûlantes de la course.

— Tu nages encore tous les matins, même dans l'eau glacée?

— J'ai pas vraiment changé. Tous les matins, à sept heures, je me rends à la mer.

Il caressait le siège du scooter du revers de la main. Il sourit encore en regardant Emmanuelle. Il ne la quittait pas du regard.

— Tu fais chier. Je sais que tu es le point de mire de tout le monde, lui dit-il.

— Si je ne l'avais pas été, tu ne m'aurais pas épousée, lui répondit Emmanuelle.

Il murmura quelque chose d'incompréhensible comme pour commencer à lui dire la vérité, mais elle souffla à son oreille: « Paris, fais donc ce que tu veux. » Elle lui prit la main, puis monta sur son scooter et disparut sur les routes sinueuses. Elle avait le cœur dans la gorge, déjà épuisée. Elle avait juste envie de le consommer jusqu'au bout, pour qu'il n'en reste plus rien, ni de lui ni de leur histoire.

Le quotidien est répétitif, nos pensées sont, pour la plupart, négatives, et identiques à celles de la veille, l'art est éternelle nouveauté, beauté et lumière, se dit-elle, les cheveux dans le vent. *Et Paris est là, parmi tout ça, un chien avec une queue, éternelle étoile dans le ciel pollué.*

Emmanuelle avalait la poussière à l'odeur de pneu brûlé qui se soulevait sur son passage. Elle suivait les précipices dramatiques, avec la vigilance d'un taon ivre, perplexe quant au chemin à prendre. Elle garda l'océan à l'œil et rentra chez elle sans se perdre. Cette nuit-là, Paris revint tard chez lui. Des litres de vin coulèrent dans le salon et, pour la millième fois, on chercha la façon d'éblouir Pablo, Paris y compris.

✍

Emmanuelle arriva le lendemain matin, les cheveux roulés en chignon, avec un seul bagage.

— Tu lui ressembles, dit Paris.

— À qui?

— Mais à Marguerite.

Elle lui lança un regard inquiet. Paris prit les devants et, en bon serviteur, lui fit visiter la demeure, après une longue étreinte. Il la mena à sa chambre.

— Emmanuelle, tu es si pâle, je te recommande d'aller le plus souvent possible marcher à la mer.

— Tu n'es pas content de me voir, Paris?

— Pourquoi dis-tu ça, Emmanuelle? Je suis très heureux.

Elle fronça les sourcils.

— Ne veux-tu pas déjà que je m'éloigne de toi pour aller à la mer?

— Non, pas du tout, reste le plus longtemps possible.

— Tu sais que j'ai quitté Montréal après la mort de tante Marthe.

— J'ai appris ça.

— Je me suis fait arrêter, pour contrebande de cigarettes.

— Tu as bien appris la leçon.

— Quelle leçon?

— Celle de ma contrebande de télévisions.

Emmanuelle le regardait piteusement.

— Tu as fait de la prison, Paris, pour ça?

— Non, je m'en suis sorti, par un chemin obscur. Grâce à de bons amis à barbe.

— Oui. Ça me revient ! Je les avais rencontrés une fois. Tu sais, ils étaient venus m'offrir des cadeaux. Je ne me rappelle plus à quelle occasion. Moi, j'ai pris trois mois de prison.

— Tu as pris trois mois ?

— Mais oui. Dans une prison pour femmes à Villa-Cruz. De fin de septembre à début de janvier dernier. Seul le diable sait où tu étais tout ce temps.

— Mais j'étais ici, je n'ai pas bougé ! Tu t'es fait des amies en prison ?

— Oui, Fany, mais elle a été transférée au département de psychiatrie. Et une autre, mais je ne me rappelle plus son nom.

— Vous allez vous revoir ?

— Fany doit être morte, et l'autre, j'avoue que j'ai pas trop envie. Je ne la connais pas beaucoup.

Paris rit en passant sa main dans les longs cheveux châtains d'Emmanuelle, qu'elle venait de détacher.

— Oh et il y avait un gardien nommé Jack, il t'avait un de ces grands corps ! Lui, il doit être parti depuis, il n'était pas très docile. Et deux jumelles, elles doivent être en train de se balader dans Verdun avec des bombonnes de *spray net* à renifler… Il y avait aussi le gars à la bibliothèque, je ne me rappelle plus son nom, non plus, qui voulait aller au Rajasthan se documenter sur les chameaux. Il rêvait de signer à lui seul l'*Almanach chameaux 2012*. C'était un beau but, ça.

— Pourquoi tu dis qu'une des femmes serait morte ?

— Parce que, parce que… En tout cas, plus jamais je n'écrirai, dit-elle en se détournant.

— Tu ne peux pas faire ça à ta sœur.

— Je sais.

Elle était nerveuse et se rongeait les ongles, n'arrivant pas à décrire ce qui s'était passé, sa peur, toutes les déferlantes noires. Les missives qu'elle lui avait écrites en prison lui revenaient en tête, par éclats, par coups au cœur, sans les mots, juste les émotions. C'était comme un film muet, en noir et blanc, où il n'y aurait ni belles prises ni beaux paysages, juste ce qui fait crever les gens. Il n'y aurait pas de beaux travellings, de belle lumière, de bons acteurs, il n'y aurait que l'émotion qui secoue sans que l'on sache pourquoi, même après un décryptage scène par scène. Emmanuelle avait l'espoir de retrouver un mari. Peut-on poursuivre une œuvre quand la mémoire nous manque? Peut-on la reprendre là où on l'avait laissée? Quelle est la place de l'imaginaire dans une histoire d'amour? Emmanuelle essayait de reprendre la couture là où elle avait laissé son fil et ses aiguilles. Emmanuelle travaillait dans le vide, comme une Péruvienne du VIᵉ siècle, enterrée sous dix pieds de sable.

— Tu as besoin de dormir, ma chérie.

— C'est quoi, cette nouvelle chemise toute boutonnée? C'est ton look du matin? Quand je t'ai vu au marché, hier, tu étais déboutonné, tu étais vraiment beau… dans le soleil… avec tes cheveux rasés. Ça, c'est nouveau aussi.

Elle le regardait, en contrôlant son envie de le toucher. Elle poursuivit:

— Mais ici, dans cette maison, tu es, je sais pas, à cause de la faible lumière peut-être, ça te rend les joues toutes creuses, cette lumière blafarde de librairie.

Le soleil inondait le paysage d'une lumière chaude, blanche et astringente comme la chaux.

— Je vais descendre déjeuner. On se voit plus tard, lui dit-il en l'embrassant.

Elle resta dans sa chambre, comprenant qu'elle n'était pas invitée. Heureusement qu'elle avait déjeuné avant de quitter la pension et avait avalé l'immoral chocolat chaud albanais.

Paris déjeunait avec Helena et Pablo.

— Je t'ai entendu vomir cette nuit, dit Pablo à Paris.

Paris ne répondit rien, la tête dans son assiette.

— Ça devait être moi, Pablo. J'ai des nausées, répondit sa fille.

— Mais vas-tu arrêter de le défendre! Je sais que tu n'as pas été malade cette nuit. C'étaient des bruits de Paris. Ses bruits à lui, putain!

Paris se leva, rangea ses affaires, esquiva le regard de Pablo et sortit avec impatience sur le patio, pour lire.

Helena vint le retrouver. Paris aperçut Pablo par la fenêtre, assis dans son fauteuil de cuir brun, un livre de Duras sur les genoux, le regard dans leur direction.

— Avec tout le respect que j'ai pour l'œuvre de Pablo Stathis, avec toute la déférence que j'ai envers lui et son projet, quand même, il est de plus en plus fou, ton père. Et le pire, tu sais que notre fils risque de lui ressembler, d'avoir son caractère?

— Il ne risque rien, mon fils. Il ne faut pas s'en faire avec l'avenir, il n'existe pas. Surtout si on lit Duras.

Elle caressait son ventre.

— Je dois aller dans ma famille maternelle aujourd'hui. Je tâcherai de ne pas revenir trop tard, lui dit Helena sur un ton grave.

— Tu as fait la lessive, non?

— Bien sûr. Ne t'inquiète donc pas.

— Parce qu'il me l'aurait demandé, sinon.

— Je sais bien. Mais tu n'es pas là pour ça.

— Je suis là pour quoi, moi?

— Pour lire Duras, tu sais bien, et jouer l'amant, surtout.

Il poussa un grand soupir et lui embrassa les mains, l'envers et puis les paumes. Il alla se promener dans les ruines minoennes, sur un terrain de cyprès solitaires. Il croisa un drôle de crâne de renard. Le long des rochers, les figuiers de Barbarie étaient d'un vert lime éclatant et leurs fruits orange suintaient de suc, ovaires frissonnant au vent. Paris pensait à sa vie, travaillait sa propre mise en scène, répétait ses lignes, inlassablement, obsédé par Emmanuelle, qui venait de ressurgir d'une faille où son passé avait glissé, où tout était tombé. Il fixa la mer cristalline et calme, elle qui semblait exempte de souvenirs et d'avenir.

Il revint à la demeure victorienne dont il aimait tant les arrangements floraux. Il aimait les petits rosiers rustiques et les *dianthus deltoides* mauvâtres plantés à leur côté, ces œillets vaporeux tout simples qui se mariaient avec bonheur et élégance aux épines dures des rosiers. Les pompons blancs des pivoines de mer étaient les derniers que l'œil humain distinguait au coucher du soleil, et Paris en avait besoin comme d'une veilleuse. Midi sonna. Il n'avait pas vu le temps passer; il rentra. Emmanuelle était dans le hall, au téléphone avec sa sœur. Il s'appuya contre le mur juste à côté d'elle. Gênée, elle lui fit les gros yeux, pour lui signaler son indiscrétion. Comme il ne bougeait pas, elle lui sourit, résignée.

— J'habite avec Paris.

— Tout se passe bien ? lui demanda Kate, très inquiète.

— Oui très bien, de belles retrouvailles. Il est en pleine forme.

— Ici, il y en a un qui ne va pas bien du tout, Emma. Je suis allé voir Gauthier Nikitas à l'hospice. Il retravaille un manuscrit, il est très occupé. Il m'a presque craché à la figure lors de mes premières visites, et maintenant il me parle fort et manifeste même un peu de violence, mais il est comme ça avec tout le monde.

— C'est quoi, ce manuscrit ? Ses mémoires ? Et depuis quand écrit-il ? Merde divine.

— Je ne sais pas. Sur le manuscrit, c'était écrit : *Les requins de Gauthier*.

— Oh mon dieu. C'est le manuscrit de tante Marthe, Kate. Mais c'est épouvantable ! Emmanuelle criait en frappant le mur avec son pied à répétition, chose qu'elle faisait depuis sa tendre enfance dans ses moments de colère.

— Je reconnais le titre. Marthe me l'avait révélé, précisa-t-elle.

Elle se mit à marcher de long en large, en s'entortillant dans le fil du téléphone mural, et à donner des coups de poing sur la petite table à côté d'elle. Elle se prit le front.

— Écoute-moi bien, ma sœur.

— Quoi, qu'est-ce qu'il y a ? demanda Kate, perplexe.

— Marthe écrivait ce livre pour se défaire de Gauthier, pour révéler au grand jour qu'il est un traître, un menteur, un vaurien. C'est de la bombe d'outre-tombe, Kate ! De la bombe digne d'une momie sortie du désert en plein jour devant une foule de touristes ! Elle l'a peut-être même écrit pour le faire inculper de son meurtre, qu'elle avait peut-être vu venir. Elle ne devait rien à Gauthier, rien! Sa célèbre robe froufrou indienne, c'était son idée à elle, pas à lui! Les œufs, il ne les prenait pas au déjeuner! Marthe voulait rétablir la vérité. Il doit être en train de nous donner de sales raclées, d'inventer de sordides mensonges, comme il l'a fait toute sa vie durant. Moi, je dois être l'ivrogne de la famille, un garçon manqué impossible à marier, une bonne à rien, et toi… une prostituée-collectionneuse! Et je ménage mes mots.

— Tu es bonne pour moi, merci de ta bonté. Merde, mais je ne savais pas! Franchement… Pourquoi tu ne m'en as jamais parlé, sœur radine que tu es… Tes secrets vont finir par nous tuer, Emma! Mais cesse d'être aussi secrète!

— Mais je n'ai rien demandé à personne! Foutez-moi la paix avec vos confidences! gueula Emmanuelle.

C'était Kate, désormais, qui faisait les cent pas chez elle, en maugréant des insanités. Elle regarda sa fille, qui dormait paisiblement, et elle se calma.

— Tu comprends, Kate, je ne voulais pas que tu t'en fasses. C'était mon affaire, ce roman de Marthe. Tu le sais bien, tu n'aimes pas lire, toi. Je voulais le récupérer quand ce foutu accident m'est arrivé, et puis j'ai dû retrouver Paris.

Silence.

— Kate, qu'est-ce qu'il fait au juste avec le texte?

— J'en sais rien. Je regarderai la prochaine fois.

— Kate, dis-moi tout.

— Bon, mais ne panique pas. Il avait une gomme à effacer. Et du liquide correcteur. Il repassait inlassablement sur les feuilles éparses autour de lui, comme un fou,

lorsqu'il s'est aperçu de ma présence. Il corrigeait simul-
tanément un texte à l'ordinateur. Je ne savais pas de quoi
il s'agissait! Ce titre ne me disait rien du tout! Il était
presque couché sur son écran, il a un sacré problème de
vision. Il a gueulé quand il m'a vue, et il a tout foutu par
terre, avant de m'offrir un thé que nous avons bu presque
en silence dans la cuisine. J'avoue que je n'aurais pas dû
entrer dans sa chambre sans frapper, sans prévenir, ce
n'est pas moi, ça… Et il m'a fait promettre de revenir lui
rendre visite, mais de le prévenir avant. Il est très seul.

— Il est en train de retaper son histoire, le legs de
Marthe. De revamper les souvenirs de Marthe, de recu-
lotter son testament littéraire, de renipper l'histoire au
complet, à la sauce Gauthier. Il faut absolument l'arrêter,
c'est une question de vérité, d'honnêteté. On doit ça à
Marthe.

— Tu as raison, je ferai mon possible. Si tu étais là, ce
serait tellement plus simple! J'utiliserai la ruse.

— Heu… et surtout ta beauté, Kate. Ne l'oublie pas.
Préconise ta beauté.

— Emmanuelle, j'avais oublié, tu m'appelles à frais
virés, non?

— Bien sûr, je n'ai pas beaucoup d'argent, ici, je…

Kate raccrocha. Elle était très économe. Elle ne voulait pas, ou plutôt elle ne pouvait pas accepter de dépenser pour de longs appels outre-mer. Elle avait honte de
ne pas utiliser cet argent pour sa fille; c'est pourquoi elle
raccrocha si soudainement.

Bouleversée, Emmanuelle monta à sa chambre, suivie
de Pablo le tragédien.

— Paris m'a dit que vous ne saviez pas écrire. Je me
trompe?

Mais quel était ce subterfuge terrible que Paris avait utilisé pour expliquer son refus de jouer le rôle de secrétaire du club de lecture consacré à Duras?

— Non. C'est vrai, je ne sais pas écrire.

— Vous devriez au moins essayer.

— C'est pas ma faute, je n'y arrive pas. J'ai un problème.

— Mais c'est une tare terrible, Emmanuelle, terrible. Vous n'avez pas l'air d'être une femme faite pour la maison non plus, avec votre air aérien et fragile de château de cartes au vent. Comment allez-vous vous en sortir, vous sortir de cette situation insupportable d'aliénée?

— Ma foi, je n'y songe guère. Ça me plaît, les petites besognes. Le jardinage. Ou la couture.

— Attendez, tout n'est peut-être pas perdu pour vous. J'ai un emploi, un passe-temps, un trompe les rêveries, à la mesure de vos capacités. Attendez.

Pablo revint quelques instants plus tard dans la chambre d'Emmanuelle. Il posa à ses pieds un grand filet de pêche jaune serin, rempli de coquillages, puis un mortier et un pilon, et enfin des pots en métal.

— Si vous connaissez un peu l'histoire de cette île, mais j'en doute fort, vous devinerez le pourquoi de ma demande. Je vous demanderai, le plus simplement du monde – faites appel à vos origines néandertaliennes –, d'écrabouiller ces coquillages et d'en recueillir la poudre pourpre dans ces bocaux. Vous en sentez-vous capable? Vous en sentez-vous la force?

Elle observa les outils et les coquillages: rien de très compliqué pour une demeurée. Elle se perçut aussitôt comme la préposée au mortier.

— Je devrais en être capable. J'ai deux mains et j'ai deux yeux.

— J'en ai des quantités industrielles dans le sous-sol. Quand vous aurez terminé ce sac, demandez à Paris qu'il vous en apporte d'autres. Il le fera aussi longtemps que vous voudrez rester chez moi.

— Je vous en suis reconnaissante.

— Non, je ne crois pas. Soyez reconnaissante envers les mollusques qui vous apportent pain et beurre et qui vous donneront peut-être un jour la possibilité, ma chère, et je dis bien peut-être, ne vous faites pas trop d'espoir, peut-être d'aspirer, non pas au bonheur, mais à une part de bien-être.

Pablo partit en lançant la porte contre le mur. Emmanuelle le vit disparaître dans les marches en colimaçon en traînant lentement son gros postérieur vers le rez-de-chaussée. Puis il revint et la regarda avec un éclat de pitié dans l'œil. Tous deux se toisaient avec le même éclat de pitié.

— Emmanuelle, sur notre île, Kythira, que les Français ont appelée «Violet royal», on utilisait ces coquillages, les *bolinus brandaris*, pour teindre les habits des rois de leur flamboyante couleur pourpre. Nous sommes quelques-uns à perpétuer cette tradition. Le pourpre, c'est le symbole du pouvoir. Regardez le pape. Dans notre famille, on s'en sert pour teindre les rideaux, les draperies. Il en faut plusieurs milliers. Nous nous sommes connus dans une autre vie, vous et moi, vous me devez bien ça.

Il tourna les talons et souleva les épaules de façon burlesque.

Elle mit un premier coquillage rose dans le mortier. Il était petit et doux, avec quelques pointes arrondies, et possédait une petite queue découpée. À sa grande surprise, il était encore vivant. Elle se rendit compte qu'ils l'étaient tous. Elle l'écrasa tranquillement avec le pilon, et un fluide rouge s'en échappa. Le son était celui d'un œuf qu'on brise. Elle mit quelques instants à réduire le premier en poudre. La couleur était violacée. Elle en détruisit ainsi quelques-uns et, petit à petit, une grande tache pourpre s'agrandit dans le fond de son mortier. Elle y versa de l'eau, mélangea le tout avec son index et obtint une pâte pourpre gluante, ainsi que le lui avait dit Pablo.

— C'est obligé qu'ils soient vivants ? cria Emmanuelle de sa chambre.

— C'est ça ou tu vas me chercher les sécrétions des serpents de mer, comme on le faisait dans l'Égypte ancienne. Il n'y a pas douze façons de faire du pourpre, bougre Dieu ! s'écria Pablo.

～

Les journées passaient ainsi. Le soir, Paris venait la rejoindre dans son lit. Parfois, elle feignait de résister ; d'autres fois, elle le kidnappait pour se faire prendre avec la fougue du passé révolu. Il lui arrivait aussi de le voir enlacer Helena, en attente de l'enfant. Il n'y avait rien de plus beau, rien de plus en phase avec la vie. Elle comprit bien vite que les dieux veillaient sur eux. Cela la troubla de moins en moins. Peu à peu, elle en vint à ne plus les envier, et le travail prit toute la place. Mais une question persistait : comment faire pour dire la vérité à Helena, pour lui dire que Paris était son mari, après tout ? Elle devenait honteuse à l'idée de lui cacher la vérité et, un jour, elle se mit en route pour tout lui avouer. C'était une idée épouvantable, mais au risque de perturber Paris, elle ne voulait pas être cachottière. D'autant plus qu'Helena la fuyait et ne lui adressait même pas la parole.

Les poignets enflammés par le massacre du pourpre, elle alla rejoindre Helena dans la cour. En passant dans le salon, elle plaça ses mains subtilement en œillère pour ne pas voir de quel livre les hommes discutaient avec autant d'ardeur. *L'amant* résonnait tout de même en écho partout dans l'ancien hôtel.

— Helena, dit Emmanuelle en marchant derrière elle.

Helena poursuivit son chemin vers la corde à linge où elle percha une serviette de bain bleu pâle.

— Mmm, dit Helena en se retournant légèrement et en regardant le sol.

Emmanuelle perdit toute force en contemplant ce beau visage de madone et cette tête soumise. Elle prit quelques épingles à linge dans le sac de toile qui pendait au mât de bois et les tendit à Helena. De toute évidence, Helena savait. Emmanuelle perçut une supplication dans sa tête baissée, celle de ne pas en parler, de ne rien faire exister, de préserver le mystère, de faire semblant que rien n'était en train de ruiner ce qu'elle portait au creux de ses reins, de ne pas aggraver sa souffrance. Emmanuelle regarda le corps lourd d'Helena, qui portait l'enfant de l'homme qu'elle aimait, ce corps si beau dans sa robe blanche, ses longs cheveux flottant sur son cou pâle et tendu vers le mât de bois à la recherche de quelque chose à faire ou à penser pour défier le moment. Les deux femmes se regardèrent un instant. Il y avait dans le regard d'Helena une supplication, un ordre muet de s'en tenir là, pour le bien de tous. Elle la mettait presque en garde en serrant les dents. Emmanuelle accepta qu'elle ne veuille pas aller au-devant des choses et se garda de parler de son mari. Comment cet amour était-il né, entre Paris et Helena, que faisaient-ils tous les deux sous le joug de Pablo, le dramaturge déchu, son père? Tout était si parfaitement imbriqué autour de Pablo, dans cette famille. L'enfant à naître était une première transgression; sa venue était un outrage prodigieux à l'amour exclusif qu'ils devaient vouer à Pablo.

Elle rentra, donna quelques coups supplémentaires de pilon, refit sa valise et descendit les marches de la demeure antique. Paris vint à elle, sans la passion qui l'avait antérieurement charmée. Elle lui révéla abruptement ses pensées.

— Je veux rompre. Je t'enverrai les papiers de divorce.

C'étaient là des mots difficiles à prononcer pour Emmanuelle et, une nouvelle fois, Paris n'eut pas le courage de lui dire qu'ils n'étaient pas mariés. Il répondit:

— Je signerai tout ce que tu voudras.

La télévision allumée attira l'attention de Paris, puis d'Emmanuelle qui le suivit au salon. Les nouvelles locales annonçaient un spectacle d'Aerosmith à Chora, capitale de Cythère. Il y avait un festival de musique en cours, sur les îles aux alentours, et Aerosmith devait se produire sur leur île la fin de semaine suivante. C'était l'un des gros noms attendus. Ce groupe avait uni Emmanuelle et Paris, à la fin de leur adolescence; ils ne purent s'empêcher de se lancer une œillade complice. La télévision annonça aussi la venue de Chagra Siri durant le même week-end. Chagra Siri était un moine très aimé, très populaire dans le milieu orthodoxe, qui donnait des conférences ici et là. Cythère était son lieu de naissance, et il y revenait souvent pour prier devant la Vierge noire, icône des icônes, qui se trouvait dans l'église Myrtidiossa et que les pèlerins vénéraient depuis plusieurs siècles. Son passage soulevait déjà les passions. Les deux événements devaient amener bon nombre de touristes sur l'île. Paris eut une idée qu'il ne parvint pas à retenir.

— Accompagne-moi pour voir Chagra Siri, samedi. Après, tu partiras, si c'est ce que tu souhaites.

Il embrassa les lèvres d'Emmanuelle juste au moment où Pablo et Helena arrivaient derrière lui. Mal à l'aise, Emmanuelle recula, puis se tourna vers l'écran où des textes en grec défilaient. Paris sentait-il la présence d'Helena et de son père derrière lui? Emmanuelle était-elle la seule à les avoir aperçus? Paris attendait sa réponse, en la fixant. Helena et Pablo la regardaient aussi. Elle s'avança vers Paris. Elle le voyait clairement tel qu'il était.

— Oui, bien sûr, je vais vous accompagner.

— Nous irons seulement toi et moi.

Par-dessus l'épaule de Paris, Emmanuelle regardait Helena qui avait rougi et qui serrait nerveusement les pans de sa robe.

— D'accord, Paris.

— C'est ce que je souhaite, lui répondit-il.

Il sortit immédiatement acheter les billets à la place centrale, dans le sud de l'île. Pablo s'avança vers la fenêtre et il regarda le véhicule brun dévaler la pente de l'entrée dans un bruit d'enfer. Il frappa la bouteille bleue de whisky Royal Salute Hundred Cask Blend du revers de la main, puis se versa un verre, en restant agrippé à la bouteille. Du fond de la pièce, sous des moulures de bois, Helena regardait, elle aussi, par la fenêtre. L'air était humide et elle pouvait sentir le chêne. Elle respirait la poussière des planchers couverts, depuis plusieurs siècles, de mousse, d'épingles perdues et de petites araignées.

— J'ai teint les rideaux, Helena, tu peux aller les suspendre sur la corde, dit Pablo.

Elle cessa de se caresser le ventre et partit chercher les rideaux, pour les étendre dans les vents favorables.

Emmanuelle la suivit de loin jusqu'au sous-sol. Là, les tissus pourpres étaient étalés sur des tables, et des icônes byzantines grecques étaient suspendues sur les murs : saint Jean, saint Théodore, Marie, Jésus, saint Prochore le diacre, des saints tombant de chevaux, un homme en harponnant un autre, dans des dorures stupéfiantes de beauté. Emmanuelle, restée en haut des marches, observait Helena qui prit un premier rideau. La teinture encore humide tacha ses mains de rouge. Helena s'accota à une table de bois et se mit à sangloter. Puis, dans des cris de douleur, elle tomba à genoux, le rideau sur les cuisses. Elle ne voulait pas croire à ce qu'elle venait de voir : Paris embrassant cette femme, dans leur demeure. Se retournant vers Emmanuelle, elle la fixa en gémissant, les muscles de ses mâchoires tressaillant et la défigurant. Elle ouvrit la bouche très grand vers Emmanuelle, les yeux empreints d'une émotion magnifiquement intense, les mains crispées sur le drap. Elle la regardait avec l'envie de la tuer, l'envie d'éliminer celle qui venait d'être embrassée par le père de son enfant, par son compagnon de vie. Étendue par terre à présent, sur son ventre porteur de vie, elle était ouverte à la mort. Emmanuelle se rappela soudain qu'elle avait déjà tué Paris en elle, en prison, et elle pensa qu'elle était venue vérifier l'état du corps. Elle trébucha dans les marches en les remontant à reculons. La peine d'Helena avait fait son chemin jusqu'à elle, réanimant chaque battement de son cœur blessé. Thomas de Quincey dit que les gens qui ont du sang royal ne meurent pas, qu'ils s'évanouissent puis disparaissent. Emmanuelle prenait cela pour du beurre frais et comptait bien s'éclipser de ce monde de la même façon que les monarques anglais au XVIIᵉ siècle : en se volatilisant. En regardant Helena mourir de chagrin d'une façon aussi épouvantable, elle aperçut ses ancêtres grecs tentant d'échapper à l'ennemi turc dans un convoi de verdines, attelées à des chevaux, puis en train de pousser ces hippomobiles pour les sortir de la boue au bout d'un impossible voyage. Helena avait le regard hardi des déracinés. La crainte de devoir partager Paris avec Emmanuelle lui était mortelle. C'était un pieu enfoncé en elle jusqu'au bout de ses ongles.

Arrivé à Chora, Paris vit que les préparatifs allaient bon train. Le concert d'Aerosmith avait lieu le surlendemain, en plein air. Il allait être gigantesque, démesuré, d'une envergure inégalée. Aucun spectacle rock n'avait jamais eu autant d'ambition. Trois scènes immenses avaient été érigées sur les plaines devant l'entrée de la vieille citadelle, du vieux château du XVIᵉ siècle qui surplombait l'île et la mer Égée. Les fans du groupe et les adeptes du gourou Chagra Siri allaient s'entremêler, ne sachant plus où donner de la tête. L'île n'avait jamais reçu une foule aussi nombreuse et bigarrée : exégètes du sage, disciples, fans de yoga, adeptes de méditation transcendantale, hippies congelés jusqu'aux os, postgrunges dégelés, la peau sur les os, vieux fonctionnaires débonnaires admirateurs d'Aerosmith, jeunes filles et jeunes hommes en chaleur… Certains avaient loué des chambres chez l'habitant ; d'autres avaient planté leur tente dans des zones quasi désertiques et sur le rocher pelé où les figuiers de Barbarie s'érigeaient dans l'air sec près des vestiges d'un ancien feu de broussailles. Des jeunes dormaient sur la plage dans des sacs de couchage. Les célébrations pour la venue du gourou semblaient durer depuis déjà une semaine dans les dédales de la capitale-labyrinthe, Chora. Paris était estomaqué par l'ampleur des préparatifs et par le nombre de visiteurs. Une fois les billets achetés, pour l'événement double, l'excitation et la peur le poussèrent à repartir aussitôt. Il avait hâte de regagner les terres verdoyantes du nord.

Le jour du spectacle, Emmanuelle laissa sa valise à la demeure victorienne et, à trois heures de l'après-midi, elle partit avec Paris dans la voiture brune, vers le sud. Une demi-heure plus tard, ils eurent l'impression d'entrer aux Enfers, directement dans le Tartare. La circulation était un désastre. Ils se stationnèrent à l'entrée de la ville et marchèrent vers le château situé au bord de la mer. Du haut du château, on pouvait voir une marée de gens arriver à la nage. L'eau était noire de monde. Les gens avaient sauté des bateaux de plaisance pour pouvoir arriver les premiers sur la rive et tenter d'avoir les meilleures places pour le spectacle ou encore pour obtenir un laissez-passer pour voir Chagra Siri, qui logeait dans le château et regardait avec épouvante les eaux grouillantes de monde. Les lasers découpaient le ciel, des hélicoptères survolaient les installations, la musique jouait déjà à tue-tête dans les dizaines de haut-parleurs, et le spectacle n'était même pas encore commencé. On attendait Steven

Tyler, le chanteur. Les musiciens chauffaient la foule, en amorçant leurs succès en balance de son.

Paris et Emmanuelle montrèrent leurs billets et entrèrent sous les voûtes du château puis dans ses labyrinthes. L'accès au château était limité. Il fallait avoir un laissez-passer, ce que Paris avait réussi à obtenir pour Emmanuelle et pour lui. Les autres disciples devraient se contenter d'écouter la conférence et de regarder les célébrations de l'extérieur, sur des écrans géants placés en périphérie de l'entrée du château. Les échoppes avaient été vidées pour l'occasion, et quelques hommes discutaient ici et là. Les mélomanes sont les gens les plus ponctuels de la terre ; les mystiques, eux, savent attendre, connaissant l'éternité. La plupart des fervents de Chagra Siri se trouvaient dans de petites pièces, des chambres, où ils parlaient des événements à venir. On accédait à ces chambres, creusées à même le roc, par des arches de pierre. Même si les voûtes étaient assez hautes, on y sentait l'humidité et le renfermé. Les hommes regardaient étrangement Paris, accompagné par une femme. Emmanuelle et Paris entendirent des cris d'enfants et virent une école, fermée par des barreaux, où des enfants, portant des vêtements colorés et des chapeaux jaunes pointus, jouaient au ballon, le plus normalement du monde.

— Ils ont une école juste à eux, s'étonna Paris en chuchotant.

Passé l'école, ils n'entendirent plus rien. Plus un son. Le contraste entre ce silence et les tests de son du concert rock était si grand que leurs oreilles bourdonnaient. Ils jetèrent un coup d'œil à certains comptoirs où l'on vendait des objets de culte et des affiches à l'effigie de

Chagra Siri, le chef spirituel. Paris avait l'un de ses livres dans sa poche. Ils se promenèrent dans les ruelles, puis revinrent au cœur de la cité, avant de s'enfoncer dans les dédales philosophiques. Des affiches au nom du moine ornaient les murs. Des dates y étaient inscrites, des dates de conférences, s'imaginèrent-ils. Près d'un étalage de fruits et légumes, des œufs étaient piétinés par les sabots des passants. Ils s'enfoncèrent dans les ruelles du château et passèrent sous le lion de saint Marc, relique de Venise.

Une femme dit :

— Mais quelle robe je vais mettre ?

Une autre demanda :

— L'apparition, c'est pour quand ?

Quelqu'un répondit :

— Deux heures. Rien n'est certain. Il faudra aller à la chapelle.

— Mais il n'y aura pas d'apparition. Arrêtez…

Une immense frénésie s'était emparée des gens, et chacun y réagissait selon sa propre névrose : angoisse, paranoïa, mythomanie, tout y était. « Pour voir le chef » « Pour entendre sa voix » « De quoi il a l'air ? » « A-t-il une femme ? » « Moi, j'ai gagné le passe dans une revue » « Où dort-il ? » « Il paraît qu'il ne viendra pas » « Il paraît qu'il n'a jamais existé » « Et si c'était un coup monté par des terroristes ? » « Aerosmith, une gang de fous ».

Ils croisèrent ensuite une petite pièce où, sur des comptoirs, étaient placées des affiches. Là, les gens semblaient plus connaisseurs ; ils discutaient tranquillement, une bouteille d'eau à la main. C'étaient des spécialistes du gourou, venus des quatre coins du monde pour se rencontrer. Dans ce petit bureau, quelqu'un déploya un tissu rouge sur lequel était peinte, en blanc, l'image d'un homme qui ressemblait à un moine. L'homme était représenté de profil, la tête légèrement inclinée, souriant. Il donnait la main à un autre homme, d'apparence ordinaire. Paris et Emmanuelle se frayèrent un chemin parmi ces érudits qui parlaient en anglais des trois préceptes de vie du gourou, qui sont très beaux. Paris tendit l'oreille.

— Garder le sourire.

— Ne jamais élever la voix.

— ?

Un troisième échappa à Paris. Il répéta le tout à Emmanuelle, qui n'avait pas prêté attention et qui fronça les sourcils. Elle apostropha un homme qu'elle avait cru entendre parler français et lui demanda :

— Pardon, sur le tissu, qui est l'homme à qui Chagra Siri tend la main ?

Le monsieur recula, de peur d'entendre plus de sottises, et lui tourna le dos.

Emmanuelle, gênée, voulut partir, mais une femme lui tendit un collier de billes brillantes sur des pastilles de cuir noir. Elle le regarda, l'admira, le fit tourner dans ses mains. La femme le lui donna en souriant, et Emmanuelle n'arriva pas à refuser ce qui semblait être fait pour elle. En sortant, elle croisa une autre femme qui, elle, entrait très essoufflée et qui lui dit :

— Où avez-vous eu mon collier ?

Elle le toucha dans les mains d'Emmanuelle. C'était une Française.

Emmanuelle ne comprenait rien. Elle lui répondit :

— C'est cette dame qui vient de me le donner.

— Voulez-vous bien me le redonner ?

— Mais certainement.

Emmanuelle s'en alla en prenant la main de Paris et en lui disant :

— Je me suis fait piéger.

Ils sortirent de cette ruelle sombre et croisèrent deux femmes assez âgées qui tenaient un comptoir juste en avant. Elles vendaient des chandails au nom de Chagra Siri ainsi que des lunettes imitant celles du gourou ; elles en portaient d'ailleurs toutes deux. Elles étaient couvertes de bijoux. De toute évidence, elles ne pâtissaient pas dans l'ascétisme et la pauvreté. Sur le chemin du retour, ils aperçurent un petit vieux, assis sur une chaise, courbé vers le sol. Quand il ouvrit la bouche, Emmanuelle vit que ses dents étaient toutes pourries. Il avait dû passer sa vie dans ces dédales humides. Il était là pour chasser les mouches, à l'aide d'un balai, et pour indiquer la sortie aux visiteurs qui hésitaient entre les cinq corridors de l'arche qui se trouvait devant eux. C'était une sorte de Charon, le passeur des âmes.

Emmanuelle lui demanda, en pointant la voûte du centre :

— La sortie ?

Il fit « oui » de la tête, en gardant le sourire.

Puis il fit un grand signe, pris d'un doute, au moment où Paris allait s'y engager.

— Non, non, fit-il de la main, en indiquant une autre sortie. *Paintings… Come, my friends.*

Ils le suivirent et marchèrent dans la pénombre pendant de longues minutes. Puis, à l'aide d'un briquet, le vieux illumina la voûte.

Une immense fresque, décolorée, ornait le mur. Plusieurs personnages avaient encore leurs visages ; d'autres n'en avaient plus du tout. La fresque mesurait environ deux mètres de hauteur sur huit de largeur. Elle était d'une beauté à couper le souffle, les dieux avaient marché ici.

— Byzantin ? s'exclama Paris.

Le gardien fit « non, non » de la tête, puis fit un geste de la main vers l'arrière, par-dessus son épaule.

— *Old, old...*

Il se mit à expliquer les scènes avec des gestes doux et délicats. Il présenta les personnages. Le premier homme était représenté au milieu d'une étendue de bleu ondulant, semblant plongé dans l'eau jusqu'au cou.

— Tantale, dit le vieil homme en le pointant.

— Dans la mythologie grecque, c'est lui qui connaît une soif et une faim éternelles, dit Paris, ému.

Le personnage suivant avait le visage figé dans un cri et était attaché à une roue en flammes. Le gardien l'effleura des doigts en le présentant :

— Ixion.

Le troisième homme était peint de profil. Un oiseau de proie, un aigle probablement, lui arrachait un organe.

— Prométhée, dit le gardien en le pointant tendrement, pris d'admiration extatique.

Il ajouta, en poussant un doigt dans le ventre d'Emmanuelle, qui sursauta :

— *Liver. Liver.*

— Le foie, dit-elle en lui souriant. Il se fait éternellement arracher le foie.

— Danaïdes, dit alors le gardien en pointant quelques femmes toutes représentées de face, en train de verser de l'eau dans un tonneau percé.

Il suivit du doigt l'eau qui en ressortait par le bas.

Emmanuelle se sentit l'une d'entre elles. Étrangement, les femmes peintes semblaient la regarder, les yeux remplis de douleur. Le gardien fit semblant d'enfoncer un couteau dans le cœur de Paris. Il donna le couteau imaginaire à Emmanuelle, puis la força à l'enfoncer dans le cœur de Paris.

— *They… murdered… their… husbands?* s'essaya Paris, entre chaque coup de couteau contre son torse.

— *YES!* s'écria le petit homme joyeux, amoureux de ses fresques rupestres, puis il se retourna vers l'extrémité de la peinture.

— Sisyphe, dirent les trois en chœur, devant le plus connu des suppliciés.

L'homme était peint en train de rouler un rocher vers le haut d'une pente pour suggérer que cette action se déroulerait à l'infini.

— Bravo, leur dit le gardien une dernière fois. *This is hell.*

Il fit un large geste qui couvrit de loin tous les personnages.

— Ce sont les suppliciés des enfers, murmura Paris à Emmanuelle. Ceux qui n'ont pas reconnu l'autorité des dieux sont condamnés à des souffrances éternelles.

Ils se recueillirent un dernier moment devant ces gigantesques châtiments. Certains hommes sont appelés, de nos jours, à affronter d'aussi redoutables épreuves. Songeant soudain à Eurydice et craignant qu'Emmanuelle eût disparu, Paris se retourna subitement vers elle, mais elle était à ses côtés. Ils rebroussèrent chemin, dans le silence, le briquet éteint, méditant sur ces scènes sans âge, pour rejoindre le bruit, les croix, le bois et les pavés du jour. Sorti du gouffre, le gardien leur indiqua une ruelle et quelques marches, vers lesquelles le couple se dirigea, avec d'autres touristes. Plus ils s'enfonçaient dans la ruelle, plus les vices augmentaient et moins l'esprit de Chagra Siri était respecté. On y voyait des jeunes femmes aux yeux vitreux, des jeunes hommes chantant à tue-tête, un verre de bière à la main, des filles à moitié nues en train de se faire tripoter. La déformation. La perversion. La domination. La dépravation. L'argent négocié cher. L'argent bouddhiste. La domination intellectuelle. La perversité intellectuelle. L'interprétation maléfique. Les enfers. La voûte céleste. Le sourire. La voix. La paix qui paie. Le vénérable accusateur. Les rebelles. Le manque. Le manquement aux consignes.

À bout de souffle, une fois sortis de cette zone, ils se frayèrent un chemin vers les portes qui les ramenaient à la ville, au concert, parmi les admirateurs d'Aerosmith. Passé les remparts, la musique explosa. Paris hurla :

— Je crois que nous sommes tombés dans un « entre-deux-mondes ». Nous avons été précipités dans le Tartare, la région profonde des Enfers.

Emmanuelle le regarda sans comprendre et répondit, les mains sur ses deux oreilles :

— Tu veux qu'on aille manger un tartare après ?

La musique, portée par un vent blanc et brûlant, comme le sable au soleil, résonnait à leurs oreilles. Ils entendirent aussi les butors, des échassiers, qui survolaient le concert. Leurs cris étaient semblables aux mugissements des bœufs clapotant dans la boue des marais. Le spectacle était commencé. Combien de temps avaient-ils passé dans l'arrière-ville, dans le château ? Il était presque 21 h ; six heures s'étaient donc écoulées. Des feux d'artifice, entrecoupés de laser, déchiraient le ciel. Le chanteur vénéré venait d'arriver en moto sur la scène. Torse nu, il portait des colliers, un pantalon de cuir noir moulant et des bottes. Il se déhanchait en s'accroupissant, les bras levés. Les gens étaient en liesse. Près d'une seconde scène, de grands rassemblements se faisaient autour d'écrans géants où des phrases de Chagra Siri passaient en rafale. Avait-il fait une apparition? Les gens se mêlaient, prenaient part à toutes les représentations. Les fans de Steven Tyler avaient les mêmes besoins que ceux de Chagra Siri, les mêmes palpitations, la même urgence de voir et d'être vus. Paris et Emmanuelle se frayèrent un chemin jusqu'au devant de la première scène. Ils pouvaient voir les veines de Steven Tyler battre dans son cou.

Emmanuelle dit à l'oreille de Paris, collée sur lui :

— On n'est pas mariés, Paris, n'est-ce pas? Dis-moi que ça ne se peut pas. Que tu ne m'as pas fait ça.

— Non, Emmanuelle, on n'est pas mariés.

Il lui raconta alors, à l'oreille, toute la vérité. Il lui parla de leur magnifique journée de mariage, de l'odeur des eucalyptus en juillet, du champagne qu'ils avaient bu. Trois fois, elle avait dû remettre sa robe, car il la lui avait enlevée pour lui faire l'amour dans le studio qu'ils avaient loué ; trois fois, il avait fumé un joint avant de se mettre à paniquer en cherchant la bague, enfermée dans un petit boîtier qu'il tenait pourtant fermement dans sa main. Il avait sué dans sa chemise blanche, avait alors mis la verte, puis avait remis la blanche après l'avoir fait sécher avec un séchoir parce qu'Emmanuelle n'aimait pas la verte. Les policiers étaient arrivés au début de la cérémonie et avaient tout gâché.

— Ta sœur était arrivée au chapiteau bien avant tout le monde. Elle avait décoré tous les poteaux avec des guirlandes et des ballons. Tous mes amis étaient arrivés en motocyclette, en retard et soûls, pendant que nous avancions bras dessus bras dessous au centre de la haie d'honneur qu'avaient formée les autres invités. Alors que j'allais déclarer mes vœux d'amour, Emmanuelle, et que tu pleurais – tu pleurais de joie depuis que tes parents étaient arrivés en Grèce –, les policiers ont surgi et m'ont passé les menottes. J'ai disparu dans une fourgonnette, te laissant droite et belle, foudroyée par la peur. Je m'en suis toujours voulu de ne pas avoir disparu avant cette journée, de t'avoir fait vivre ça. Ils m'ont gardé une semaine, puis m'ont relâché, grâce à une caution payée par mes amis.

— Je les ai rencontrés une fois.

— Oui, je sais. Le trafic de télés s'est terminé à ce moment. Athènes était loin derrière moi, je n'y suis plus retourné. Puis, un soir, dans la taverne où je jouais de la musique, un Grec m'a interpellé en français. C'était Pablo qui, avec sa fille Helena, était venu voir le mystérieux joueur de sax québécois dont ils avaient entendu parler. Tout heureux de pouvoir parler français, il est revenu à plusieurs reprises pour boire et parler de littérature. Helena et moi, on l'écoutait, admiratifs. Il était tombé amoureux de Cythère, où il avait acheté un hôtel, à l'autre bout de l'île, avec l'argent de l'un de ses fils soldat, mort au combat. De fil en aiguille, j'ai quitté le minuscule logis que je louais, près de la plage, et je les ai rejoints dans leur demeure. J'ai aussi intégré leur club de lecture, qu'on a rapidement dédié à Duras. Tu n'es plus jamais revenue me voir.

Emmanuelle se détacha de l'épaule de Paris où elle avait déposé sa tête. Des phrases d'*Écrire* lui revenaient en mémoire, dont le passage sur la mouche, puis des images de leur mariage refirent enfin surface ; comme si Paris venait d'en écrire l'histoire.

— Je t'ai attendue dans les ruines minoennes. Je te cherchais dans toutes les femmes que je croisais, lui confia-t-il. Avant Helena, j'errais comme un fantôme post-Tchernobyl, ne buvant pas d'eau, ne mangeant pas la pelure des pommes, ne sortant pas les jours de pluie.

Elle leva le menton un peu, comme pour s'excuser de l'avoir haï, car elle l'avait vraiment haï, de ça elle se souvenait. Si besoin était, les déferlantes écrites en prison auraient pu le prouver.

Paris pointa l'écran derrière eux, celui des fidèles, sur lequel les consignes apparaissaient :

1 - *Keep smiling*

2 - *Never raise your voice*

La troisième resta invisible.

Plusieurs arboraient un slogan démagogique sur leur t-shirt : *Get rich before they do.* D'autres portaient des pancartes appelant à la révolte. D'autres encore saccageaient les entrées du labyrinthe voûté. Emmanuelle eut un vertige en pensant à tous ceux qui allaient être écrasés. Paris la prit dans ses bras. La foule était de plus en plus oppressante, les cris de colère fusaient de partout.

De son côté, Steven Tyler empoigna le micro, dont il enfourcha le pied, et entonna la chanson *Crazy*.

Come here, baby

You know you drive me up the wall

The way you make good on all the nasty tricks you pull

Seems like we're makin' up more than we're makin' love

And it always seems you got somethin' on your mind other than me

Girl, you got to change your crazy ways

You hear me?

Paris chantait à tue-tête. Le monde d'Emmanuelle venait de disparaître dans la lumière claire et lilas des montagnes de Chora. Elle voulait quitter l'île paradisiaque, celle du violet et des coquillages brisés. Après avoir regardé le profil de Paris, serti du contour orangé des derniers rayons de soleil, elle vit avec effroi un rat sortir de la bouche d'un égout et décamper vers la mer, suivi par une dizaine d'autres qui se jetèrent à l'eau à sa suite. C'était sans aucun doute Chagra Siri, transformé par les dieux en une bête repoussante, qui se sauvait par la mer, avec quelques disciples. Emmanuelle se détourna de Paris, se rendit à la plage, où elle se déchaussa, et entra dans l'eau. Il n'y avait pas de place pour deux amours, celui d'Helena et le sien, il n'y avait pas de place pour la pureté de ses sentiments. Il n'y avait que la fin partout, dans toutes les nuits, dans toutes les tentatives de se réconcilier avec l'autre: l'autre dieu, l'autre homme, l'autre monde. Il y a des mots qui ne se disent pas. Que personne ne veut entendre. Il y a des promesses qu'on se fait à soi, dont on ne sera jamais prêt à se défaire, pour personne. Emmanuelle avança dans l'eau glacée, suivant les petites queues des rongeurs, tresses noires dans la nuit étoilée. Les rats se mirent à se battre et à se mordre l'un l'autre. Emmanuelle s'immobilisa et demanda à la mer de la guérir. C'est le souhait qui montait dans chaque parcelle de son corps. Elle regagna la rive à la seule force de ses jambes, puis partit dans la foule rejoindre Paris. Comme une bougie, elle circula entre les gens, vacillant, tombant, sans que personne ne tue en elle ce qu'elle voulait garder allumé, échappant sur les vêtements des inconnus des morceaux de son bûcher. Elle attrapa Paris par le bras.

— Il faut que je rentre à Montréal.

Il la regardait comme un corps caverneux. Elle avait hâte de le laisser à sa vie, à sa blonde, à ses roses, et elle devait se pardonner tout ça, cette rechute, cet oubli du désastre des noces à odeur de gardénia. Ce pèlerinage était dangereux. Ils remontèrent dans la vieille auto brune et retournèrent à la maison, muets, comme étouffés par la fin de leur histoire. Le lendemain matin, la valise à la main, avant de partir à l'aéroport, Emmanuelle téléphona à sa sœur.

— Emmanuelle, enfin tu me téléphones, ça fait des semaines !

Sa nervosité était palpable dans ses mots aigus.

— Kate, je rentre à Montréal. Je prends l'avion à midi pour Athènes.

— C'est formidable ! Tu n'es pas triste ?

— La famille me manque, tu es ma sœur.

— Reviens, mais tu sais, comment te dire ? Beaucoup de choses ont changé depuis ton départ précipité.

— Dis-moi ce qui se passe, ta voix me fait peur.

— Promets-moi que tu ne te fâcheras pas. Tu n'as pas le droit de te fâcher au téléphone. Et tu n'as pas le droit de pleurer en voyage. Tu te rappelles notre pacte ?

— Oui.

Kate lui avoua tout. Après avoir vu Gauthier réécrire des passages du manuscrit de tante Marthe, Kate lui avait fait des menaces en lui laissant croire qu'elle possédait une copie du manuscrit original. Pour le prouver, elle avait brandi un paquet de feuilles volantes. Elle savait qu'il avait peur que toute la vérité à son sujet sorte avec le roman posthume de sa femme Marthe. Amoindri par les médicaments, il l'avait crue et lui avait demandé ce qu'elle voulait. Elle voulait réécrire le roman de manière à glorifier Emmanuelle, pour en faire une héroïne. Kate avait tellement voulu que le roman d'Emmanuelle, *Le lac gelé*, ait du succès! Par cette tromperie, elle voulait aussi redorer le nom d'Archebishop, sali par leur frère Alexandre, mais ça, elle ne le dit pas à sa sœur.

— À ton retour à Montréal, Emmanuelle, prépare-toi à signer des autographes. *Le lac gelé* se vend très bien.

— Quoi? cria Emmanuelle à l'autre bout de la terre.

— Le livre de Marthe est sorti. Elle y raconte qu'elle a une fille : toi. Que c'est elle, ta vraie mère, et non sa sœur Marina !

— Marina n'est pas notre mère?

— Oui, c'est ma mère mais pas la tienne, du moins, c'est ce que le livre de Marthe raconte. Ça fait un tabac. Tout le monde le croit. Elle y parle de toi comme d'une grande auteure et y encense ton livre.

— Ce n'est pas ma mère, et elle ne m'avait jamais lue.

— *Big deal*, personne ne le sait.

— Kate, es-tu devenue folle? Vous avez réécrit le livre de tante Marthe, Gauthier et toi?

— Juste des petits bouts.

— Câlisse !

— Je veux aussi t'avertir qu'il est révélé, à présent, dans le roman de Marthe, que *Le lac gelé* relate bel et bien les derniers moments de notre frère, Alexandre, enfin, de ton demi-frère, selon le livre.

— Non, tu n'as pas fait ça, Kate !

— Oui, que c'est bien du tristement célèbre Alexandre Archebishop dont il est question.

Emmanuelle sacrait de plus en plus, comme une reine hors de son trône. Kate raccrocha, prenant les sacres de sa

sœur très au sérieux. Elle prit son poupon dans ses bras :
«Elle est pas contente, tante Emmanuelle, mais quand
elle verra ses chèques de droits d'auteur, elle oubliera
tout, elle me pardonnera…»

— Amenez-moi à l'aéroport !

Emmanuelle courait dans le vieil hôtel avec sa valise.
Ça y est, elle explosait. Elle avait crié dans la demeure
de Pablo. Celui-ci prit ses clés et sortit pour l'accompagner. Paris et Helena étaient absents. C'est seulement du
bout de la route qu'elle vit, par la fenêtre de l'auto, Paris
se tenir droit au milieu de ruines minoennes, probablement celles d'un sanctuaire où les gens, il y a 4 000 ans,
envoyaient des signaux de fumée vers la Crète. Il marchait sur des tessons de mosaïque représentant une scène
de chasse, sa chemise toute déchirée par les ronces, à
croire qu'il s'était battu avec les chiens, sa main faisant à
Emmanuelle un vague signe de balancier qui était peut-
être une invitation inconsciente à revenir vers lui. Les
pôles magnétiques s'étaient encore inversés.

Alexandre Archebishop

À Montréal, Kate l'attendait à l'aéroport, comme une amie, comme un pilier. Elle la prit dans ses bras et lui fit signe de la suivre.

— Jamais je n'aurais fait quelque chose pour te nuire, lui dit Kate.

Au fin fond d'elle-même, Emmanuelle faisait confiance à Kate. Elle ne répondit donc pas.

— Tu dois revenir habiter à Montréal, ton cœur est ici : le cœur de ton roman a pris vie.

Des appels de journalistes, des courriels à la tonne l'attendaient. Elle déménagea à côté de chez sa sœur. Avec l'accord de la maison d'édition, Kate devint son attachée de presse. Emmanuelle la suivait comme on s'endort. Son roman se vendait, dix ans après sa parution ! Tout l'été, elle fut invitée à des émissions de télé. On aurait cru que les journalistes étaient là pour la convaincre de sa propre réalité. Ils ne la questionnaient que sur ses liens avec ses parents : « Qu'est-ce que ça fait de découvrir l'identité de ses vrais parents à trente ans passé ? » Elle niait tout en boucle et relevait le côté fantasmagorique de sa tante Marthe.

— Emmanuelle Archebishop, ainsi donc, vous êtes la fille de Marthe Archebishop.

— Qu'est-ce que vous en savez?

— C'est écrit, c'est l'histoire qui le dit. L'histoire est nécessairement vérité.

— Le livre de Marthe est un palimpseste de mensonges, un vrai champion de sensationnalisme.

— Vous devez être fière d'être sa fille.

— Je ne suis pas sa fille! C'est Marina, ma mère.

— Vous en avez honte peut-être?

— Mais comment se fait-il que vous ne me croyiez pas?

— C'est écrit dans son livre.

— Vous ne voulez pas connaître la vérité? Son mari a déformé la réalité.

— Son mari! Gauthier? Vous parlez du designer? A-t-il seulement encore la force de tenir un crayon?

Le brouillard s'épaississait. Elle ne voulait pas parler de sa sœur et elle finit par regretter d'avoir parlé du monument folklorique qu'était Gauthier. Emmanuelle voguait, aliénée, d'entrevue en entrevue en répondant exactement les mêmes choses aux questions qui venaient avec assurance. Il n'y avait pas de coïncidence possible entre son véritable esprit et la société. Écœurées d'avoir affaire à cette petite bête en colère et intransigeante, les télés et radios cessèrent de la recevoir, la considérant comme une écrivaine impossible à satisfaire et pas née pour la gloire. Ceux qui persévérèrent se butèrent au silence quand ils lui parlèrent de sa famille, ou à cette affirmation polie mais catégorique: «Avec votre accord, je ne parlerai que du livre *Le lac gelé*, raison pour laquelle je suis ici.» La véritable conversation pouvait débuter.

Le roman de tante Marthe et le sien caracolaient en tête des ventes; on les trouvait côte à côte dans les librairies. Le livre de Marthe contenait de terribles révélations sur le milieu de la mode ; elles n'étaient cependant pas trop gênantes pour Gauthier. Kate et Gauthier avaient chacun une raison personnelle pour avoir réécrit le roman autobiographique de Marthe : Kate voulait faire un best-seller avec le roman d'Emmanuelle, qui relatait les derniers moments de leur grand frère, mort trop jeune, à vingt-sept ans, et Gauthier voulait sauver la face et garder ses vieux vices secrets. C'était le *deal* que Kate avait réussi à conclure avec lui, qui n'était pas si sénile qu'il le laissait croire. Après l'avoir longtemps ignoré, Emmanuelle lut le livre de Marthe et, à sa grande surprise, un passage la toucha particulièrement, celui où Gauthier y parlait d'elle comme de sa propre fille. Elle avait toujours aimé Gauthier, malgré ses travers, et elle appréciait son sens de l'humour. Elle sentit que Gauthier avait versé un peu de vérité dans ce mensonge. Quant à ses vrais parents, Marina et Paul-Henri, ils n'osaient pas démentir les allégations contenues dans le livre de Marthe, car leur fille cabriolait, grâce à elles, dans les sphères du succès. La fille de la grande dame du crime était née.

Emmanuelle organisa un lancement tardif, auquel elle convia Gauthier qui s'y présenta en fauteuil roulant. Il avait l'air sénile, demandant sans cesse quand ils allaient aller au restaurant, mais, au fond de ses yeux, Emmanuelle aperçut une drôle de joie. L'homme était en paix, car il n'y aurait pas de gros scandales avant sa mort. Il s'amusait, à ce lancement, même s'il savait que tout cela était factice. Emmanuelle avait changé de famille, aux yeux de tous. Elle avait perdu sa sœur, sa mère et son père, mais lui, il avait trouvé une fille. Une toute première. Cela l'amusait terriblement. Aux yeux de la société, Emmanuelle avait maintenant un père designer et sporadiquement sénile, une mère immense, auteure intouchable et assassinée, et une demi-sœur. Pas une sœur, une moitié de sœur. Une sœur rusée, à vrai dire.

Kate n'était pas là. Emmanuelle se défit de ses amies, qui lui offraient un verre, et alla composer son numéro dans une cabine téléphonique, non loin du bar. Il n'y eut d'abord pas de réponse, mais Kate répondit au deuxième appel. Elle ne s'était pas présentée au lancement parce qu'elle avait mauvaise conscience, mais elle espérait que sa sœur la relance. Emmanuelle l'avait compris. Elle lui demanda :

— Kate, pourquoi avez-vous fait ça ?

— Pour goûter un peu à la gloire, j'imagine. Ça nous a pris inconsciemment.

— Et ça goûte quoi, la gloire ?

— Emmanuelle, je suis toujours ta sœur, et tes parents sont toujours tes parents. C'est ça qui compte ! Tu es une Archebishop ! Comme Alexandre, notre frère.

— Toute ma vie je dirai que Marthe n'est pas ma mère, car elle ne l'est pas.

— Ce n'est pas grave. Tout le monde croit Marthe. C'est elle, la reine du crime. Ne t'en fais pas, tu n'as rien à faire, l'histoire le fera pour toi.

— Vous avez joué un jeu très dangereux. Les gens qui gagnent subitement beaucoup d'argent développent une peur dédoublée de la mort. Ils connaissent aussi la peur de ne pas avoir le temps de dépenser tout cet argent. C'est, paraît-il, une peur effroyable.

— Mais tu es cynique, ma chérie. Tu en es une, Archebishop ! Et Alexandre...

— Quoi, Alexandre ?

— C'était lui, le véritable écrivain de la famille.

Emmanuelle resta interdite, mais ne lui en voulut pas.

— Emmanuelle, ce n'est pas ce que j'ai voulu dire. Pardonne-moi, s'il te plaît.

Leur frère Alexandre avait fait paraître un recueil de poésie à vingt ans, encensé par la critique, qui trouvait que son écriture avait du caractère. Il avait gagné un prix et avait pu obtenir des bourses d'écriture. Il était optimiste pour la suite des choses, mais son deuxième recueil, quelques années plus tard, avait été démoli. Il était mort à vingt-sept ans, quelques mois après sa parution.

— Ne t'en fais pas, Kate, ce que tu viens de dire est vrai. Allez, viens me rejoindre. Ne tarde pas.

Emmanuelle raccrocha, paisible, et Kate sauta dans un taxi avec son poupon. Emmanuelle regagna la salle où le lancement avait lieu et aperçut, en entrant, un homme de grande taille, en complet, au comptoir où son éditeur vendait lui-même les exemplaires du livre, en mangeant des arachides. En prenant un exemplaire du *Lac gelé* dans ses mains, l'homme pivota légèrement. Emmanuelle reconnut Jack. Il tendit un billet de vingt dollars et s'enfonça dans la salle avec son exemplaire. Une tante interpella Emmanuelle, la félicita et lui demanda de quoi parlait son roman, qu'elle n'avait pas encore lu, malgré tout ce temps. Elle lui répondit qu'il tentait de retracer les derniers instants de la vie de son frère Alexandre, tels qu'elle les avait imaginés. La tante et son conjoint, horrifiés, se sauvèrent en bousculant les chaises qui les séparaient de la sortie. Elle observa encore Jack, enchantée de le revoir, avant d'aller rejoindre ses invités. La main diaphane de son frère vint se poser sur son épaule; elle sursauta. C'était la première fois qu'elle avait un signe de lui, depuis ses funérailles, donc depuis dix-sept ans. Il la fit se retourner et disparut. Jack avait levé les yeux vers elle. Ils échangèrent un regard qui en disait long sur leur désir. Elle le rejoignit. Il avait lu la quatrième de couverture.

— Je le savais, tous les écrivains ont un personnage qui s'appelle Jack! Bon, ici, c'est un chien, mais ç'aurait pu être pire…

Il rit, l'agrippa par les hanches, la garda tout contre lui et commença sa lecture.

Je m'appelle Alexandre Archebishop et mon chien s'appelait Jack. J'ai vingt-sept ans, lui en a sept, enfin, il en avait sept. Je marche dans la neige comme il le faisait. Je suis mon instinct comme il le faisait, mon chien, mon véritable ami.

Il fait doux pour une journée de décembre. Je marche sur le lac gelé, laissant l'humanité loin derrière moi. Je pense à Jack comme il pensait à moi. Il me mordait, je le frappais, on se faisait mal, parce qu'on n'était que deux. Si nous avions eu le choix, nous nous serions épargnés l'un l'autre, mais nous n'avions personne d'autre.

La glace a craqué sous les pattes de Jack. Était-il trop lourd? Dès ses premiers jours, j'ai su qu'il deviendrait très gros, ce berger allemand. J'ai su aussi que ma vie avec lui serait à la fois un bonheur et un enfer, que je vivrais autant avec lui qu'avec la peur de le perdre. Jack vient de disparaître sous les eaux. Il a fondu comme un flocon sur la langue, sur la langue du diable. Ses grosses pattes ont fait fondre la glace sous lui, et il est tombé dans l'eau glacée.

Je mange ses biscuits. Ma tristesse renverse sur son passage un noir limon. J'ai dépensé beaucoup d'énergie à tenter de le rattraper, mais en vain. Son corps mouillé m'a glissé des mains et je n'ai réussi à retenir que son collier, que je porte maintenant à mon bras, sous mon manteau. Un moment, couché sur la glace au bord du trou, j'avais réussi à lui empoigner le poil du cou, mais la glace a cédé sous mes coudes, et mon chien a été aspiré à jamais dans les profondeurs lacustres. J'ai dû ramper très lentement, à reculons, pour ne pas sombrer à mon tour. Non pas que je ne désirais pas cette mort, mais un sursaut de vie m'a poussé à me retirer de cette glace trop mince. Mes couilles, gelées sur la glace, ont voulu me garder en vie, mues par un égoïste élan de reproduction. Pourtant, je ne veux pas d'enfant, mais mon corps presque mort, lui, en veut et, jusqu'à mon dernier souffle, il tentera par je ne sais quelle force obscure de me convaincre que j'en désire aussi.

Aurais-je dû contrer ce réflexe animal de survie ? Dans l'eau inhospitalière, mon corps contre le sien, je l'aurais enveloppé, ses poils glacés contre mon visage. Pendant que son pouls aurait peu à peu diminué et que j'aurais sombré dans l'inconscience, nous nous serions soutenus, telles deux baleines grotesques, dans le bleu noir des profondeurs glaciales, presque stellaires. Nous aurions dansé et il ne serait pas mort seul, terrifié, dans le plus difficile des abandons, dans une peur incontrôlable d'être aspiré par un cauchemar.

Nous aurions été deux baleines maladroites, grandes sœurs des dauphins et des bélugas, deux cachalots enflés par l'hypothermie. Peut-être aurions-nous parlé le même langage. Tout ce que nous avons vécu ensemble aurait alors eu sa raison d'être, aurait trouvé son sens. Nous aurions souri et peut-être même ri et pleuré de joie. J'aurais eu le visage du babouin de Francis Bacon ; il aurait eu le sourire de la Joconde.

Sa disparition m'a fait mal comme si j'avais été frappé au visage par quelqu'un que j'aime et qui m'aime. On a honte d'avoir un visage frappé, mais on n'aime pas moins. On est juste plus petit.

Je me demande quand j'ai cessé d'être un bon écrivain. Est-ce quand j'ai arrêté de recevoir des prix et des bourses ? Quand on a cessé d'écrire des articles sur moi ? Quand on a arrêté de me compter parmi les artistes de la relève ? Quand les lecteurs ont cessé de m'envoyer des fleurs, de m'écrire des lettres, de me faire des cadeaux ? Est-ce quand plus personne n'est venu me faire signer d'exemplaires au Salon du livre ou quand, plus tard, j'ai arrêté d'y être invité ?

N'est-ce pas plutôt quand j'ai arrêté de lire mes collègues ? Ou quand j'ai cessé de m'intéresser sincèrement aux autres en général ? De les écouter ?

Non, j'ai arrêté d'être un bon écrivain quand j'ai eu mon chien.

Car plus rien d'autre ne m'intéressait alors. Vraiment plus rien.

J'ai même arrêté de boire du scotch.

Je préférais regarder mon chien. Aller marcher avec lui. Jouer avec lui.

J'ai alors choisi de vivre pleinement la vie.

Ce que j'écris depuis ce temps, depuis sept ans, ne plaît pas. Aucun de mes poèmes n'a été accepté dans une revue, et mon deuxième recueil a été mal reçu par la critique.

Je continue de marcher loin du trou où Jack est tombé, trou auquel je me suis éperdument attaché.

J'ai un flacon de Jack Daniels dans ma poche intérieure. Un Jack, quelle ironie ! J'ai du Jack et des biscuits pour chiens. Est-ce assez pour me donner une raison de vivre ?

Les montagnes qui m'entourent sont majestueuses. Je vois le cratère creusé par une météorite et de gigantesques moraines formées par le passage des glaciers. La gratitude d'être en vie m'effleure quand je ne perçois plus du trou qu'une teinte de gris, au loin. Je prends une inspiration qui regonfle mes poumons écrasés par la peur de me perdre dans l'eau, de me rompre. Une courte rasade de Jack, puis une autre, plus longue. Un biscuit, offert par Jack, atterrit dans ma bouche. Un frisson épouvantable parcourt soudain ma colonne vertébrale : j'ai peur que Jack m'ait suivi sous l'eau et qu'il soit juste en dessous de moi, prisonnier de l'eau glacée.

Je continue ma route sur le lac, avec la certitude que la glace ne tiendra pas sous mes pas non plus. Pourtant, je ne cherche pas à rejoindre le rivage. Je crains seulement le sursaut de vie que j'aurai peut-être, à l'entrée de la mort, ce sursaut qui me fera me débattre et tenter de sortir du trou comme Jack l'a fait en appuyant ses pattes sur le bord de la glace et sur ma main, qui en garde des éraflures. C'est une nouvelle vie qui commence, qui sera infiniment courte, après ma rencontre avec la mort, cette dinde aux plumes noires chatoyantes, comme je l'imagine, brillantes au soleil de mille feux inextinguibles. Je m'imagine lui rentrer la tête sous l'eau, la maintenir là, pendant qu'elle me regarde, le bec jaune pointant vers le ciel, me narguant, le soleil miroitant sur ses plumes et sur le lac. Elle ne se débat pas, elle attend que je me fatigue, ou que ma main devienne bleue, car elle sait qu'elle triomphera.

Je pourrais penser à toi, Jack, pour me donner le courage de vivre, ne jamais arrêter de penser à toi. Je pourrais faire semblant de te croire vivant et inventer une histoire aux autres, leur dire, par exemple, que tu t'es perdu en forêt, que je ne sais pas où tu es. Je pourrais leur dire que notre destinée est mouvante, apparaissant et disparaissant à chaque pas. Si c'était moi qui t'avais abandonné, j'aurais compris que tu aies aimé un autre maître que moi pour te tenir compagnie et que tu aies accepté une autre main que la mienne pour te nourrir et te réchauffer ; il aurait été infiniment triste que tu te laisses mourir de chagrin. C'est uniquement en te sachant en sécurité que j'aurais pu reposer en paix. Il t'aurait fallu continuer d'aimer.

Chaque pas que je fais tient du miracle. J'entends d'horribles craquements, sous mes bottes, et le clapotis de l'eau, sous la glace. J'aime néanmoins chaque pas que je fais, qui m'éloigne du trou gris, devenu à présent une mince ligne noire, derrière moi. Je dois me rappeler que ton corps n'est dorénavant qu'une chemise perdue sous l'eau, et que tu es à mes côtés, âme libre.

Je me souviens des grandes courses que nous faisions, l'hiver. Tu étais increvable et moi, j'étais crevé pour vrai. Au retour, nous dormions ensemble, évachés comme des enfants dans les fauteuils, ton long nez mouillé sur mon bras.

J'étais l'homme, tu étais l'animal. Je suis devenu un peu plus animal et toi, un peu plus humain ; nous nous sommes influencés l'un l'autre. À force de nous côtoyer, tu es devenu plus discipliné, et moi, plus naturel, plus instinctif. Au parc à chiens, on était populaires ! Les femmes venaient se frotter à nous sans que nous ayons rien fait ! Nous étions vraiment devenus des semblables ! Laquelle as-tu préférée, de toutes ces chiennes, dans les parcs à chiens ? La petite Blanche Neige avec son long toupet blanc frisé, n'est-ce pas ?

Celle qui est devenue ma copine, Lorraine, n'aimait pas les chiens ; tu lui pardonneras pour moi. Elle avait un trouble neurologique qui la faisait trembler, un peu comme *si elle avait la maladie de Parkinson. Sa tête se dandinait de gauche à droite, et ça t'intriguait, Jack. Il t'arrivait de la fixer pendant de longues minutes. Elle riait beaucoup. Elle me demandait toujours «qui j'étais pour faire ceci et cela», car j'étais qui j'étais, et j'avais les idées que j'avais. J'avais confiance en moi et elle m'aimait ainsi. La première fois que je l'ai croisée, à la librairie, a-t-elle cité Dante, ou n'avons-nous parlé que de la Norvège? Lui ai-je confié que je collectionnais diverses éditions de* L'imitation de Jésus-Christ *et que je voulais devenir parfait comme lui? Elle était belle avec ses taches de rousseur et ses longs cheveux châtain-roux ramassés en toque. Jack, tu l'aimais toi aussi. Mais elle avait peur de tous les chiens, même si tu étais inoffensif. Nos marches en forêt, t'en souviens-tu? Moi, je ne veux plus y penser. Je vais marcher, marcher jusqu'à ce que la mort me trouve. Ma blonde est partie, et toi, Jack, tu es mort de froid.*

Lorraine louchait depuis qu'elle prenait de la belladone. La belladone dilatait ses pupilles et me renvoyait l'idée que je l'excitais en permanence. Elle en buvait tout le temps. Elle en mettait dans son eau chaude, et ses yeux bruns s'agrandissaient comme ceux des Italiennes. De magnifiques yeux de biche. Mais son œil gauche gardait une marque de strabisme, ce qui la rendait plus belle encore et me faisait rire du plus profond de mon désir.

Je continue de marcher et de manger tes biscuits. Je ne peux pas savoir si je vais réellement mourir. Je marche, je mange tes biscuits et je bois du Jack Daniels. Je me dirige vers le bout du lac en me concentrant. Le soleil fait des reflets roses sur la neige. Je suis seul depuis ta mort, Jack, et cette solitude est très probablement ce qui me permet d'avancer et qui va mettre un terme à tout ça. Libère-moi du fardeau, Jack. Débarrasse-moi de tout ça.

C'est idiot de penser que je suis seul; ton âme de gros chien flotte à mes côtés. J'imagine que ces craquements sous mes pieds et que cette eau qui ruisselle à la surface, tu les reconnais. Tu gambades dans les airs en me regardant et je te suis. Hé, ça craque vraiment sous mes pieds, Jack, pour vrai!

Marina Archebishop
et Paul-Henri Lapointe

Le 20 mars 1995, Marina et Paul-Henri, les parents d'Alexandre, se rejoignirent au sous-sol, transformé en fumoir, du salon funéraire où avait lieu une cérémonie funèbre pour leur fils. Au rez-de-chaussée, juste au-dessus d'eux, Kate, qui avait alors dix-sept ans, pleurait avec ses amies, et Emmanuelle, quinze ans, était assise près du cercueil où son frère reposait. Le cercueil était fermé. Les yeux d'Emmanuelle étaient secs, rouges et douloureux. Elle avait mis ses lunettes, car ses verres de contact lui faisaient trop mal. Elle était en discussion spirituelle avec son grand frère décédé, avant son départ pour le cimetière. Il serait inhumé avec Jack, dont le corps avait aussi été retrouvé.

Les parents divorcés fumaient en silence, l'esprit égaré. Paul-Henri avait les cheveux noirs, lissés vers l'arrière, et il portait des lunettes fumées dont la monture verte était ornée de drôles de dessins. Sous son veston noir, une chemise brune aux motifs de palmiers, ouverte sur son gros torse poilu, était inadéquate, mais il s'en contrefoutait. Un cigare de gros calibre pendait à sa bouche. Le dos courbé, il fumait en regardant par terre. Marina lui tendit une feuille qu'il se mit à lire aussitôt. C'était un rapport rédigé, quelques semaines avant le drame, par le psychiatre qu'Alexandre était allé consulter. Le psychiatre s'y attardait à son physique et y parlait de sa rencontre avec Lorraine et de la douloureuse dépression causée par leur récente rupture.

Alexandre Archebishop. Vingt-sept ans. Yeux bruns globuleux, regard profond, triste, nez long et pointu, sourire rare. Large chandail noir à manches longues, jeans. Un peu de strabisme. Longs poils de nez un peu roux. Pensée tordue, histrionique. Ses parents lui ont déjà reproché de n'être jamais allé en thérapie. Mauvaise hygiène, peut-être liée à la maladie. Semble avoir un léger retard mental. Aime le froid, rêve des fjords de Norvège, parle du froid comme d'une solution au mal-être. Aime écrire. Sans ambition. Rupture récente avec Lorraine Tremblay. De sa rencontre avec elle, il parle avec beaucoup d'émotion et pleure en silence à chaque fois.

Il l'a rencontrée dans une librairie où elle était caissière. Attirance forte et subite. Elle s'était trouvée à côté de lui par hasard, dans la section « Voyage » où elle replaçait des livres sur la Norvège. Quand il raconte cet épisode, il insiste sur sa respiration haletante et son érection instantanée. Elle s'était rapprochée de lui, qui avait l'air un peu débile, comme il le dit lui-même, et qui était très grand à ses côtés. Elle en était très troublée et s'était collée sur son bras. Leur excitation était telle qu'ils auraient baisé là, selon les dires d'Alexandre. Après son travail, ils se sont rendus à l'oratoire Saint-Joseph où ils ont monté toutes les marches, fébriles, dans l'urgence. Il l'a devancée et, rendu en haut, dans un tunnel extérieur, dans l'air chaud, dans l'odeur de cire de chandelle et d'habits de prêtre, il a baissé son pantalon et l'a attendue. Arrivée en haut à son tour, elle a regardé son sexe dressé, et ils ont complètement perdu la raison. C'est ainsi qu'une relation passionnelle a débuté entre eux. Ils se sont vus tous les jours durant des semaines, dans le quartier Côte-des-Neiges, et quand Lorraine l'a laissé, il a sombré.

Le garçon est dépressif, mais sans danger. Ne connaît pas l'automutilation, n'est pas porté à la violence. Est bien entouré par sa famille aimante. Il est l'aîné de deux sœurs, de qui il est très proche : Emmanuelle, la plus jeune, et Kate, l'aînée. Antidépresseurs prescrits depuis trois mois, on peut augmenter la dose au besoin.

Marina Archebishop lisait le rapport par-dessus l'épaule de son ancien mari, ne pouvant s'empêcher de le lire et de le relire dans une apoplexie totale.

« Famille aimante », ce sont les mots qui firent pleurer le père d'Alexandre pour la première fois depuis la mort de son fils. Il se frappa le torse à coups de poing et s'essuya le nez avec le revers de sa chemise hawaïenne. Derrière ses grosses lunettes vertes tombaient les larmes. Elles tombaient si abondamment qu'il en mouilla ses manches. Son cigare fumait entre ses dents.

Paul-Henri Lapointe tendit à son ancienne femme ce qu'il avait dans sa poche de veston, le rapport des policiers. Celui-ci parlait de la découverte du corps d'Alexandre, en mars, sur la rive, trois mois après sa noyade, et de celle de son chien, plusieurs kilomètres en aval. Ils avaient reconstitué la scène.

Le 20 décembre 1994, par un jour clément d'hiver, Alexandre Archebishop aurait amené dans les bois, en banlieue de Montréal, son ancienne copine, Lorraine Tremblay. Il l'aurait tuée à l'arme blanche et, après l'avoir arrosée d'essence, il l'aurait fait brûler. La fumée qui sortait du boisé a alerté des voisins. Ce sont les policiers qui, en arrivant sur les lieux, ont fait la macabre découverte. Après son crime, le meurtrier aurait repris son auto, dans laquelle se trouvait son chien, qui jappait depuis un bon moment selon un voisin. Il aurait conduit jusqu'au lac, où son véhicule a été retrouvé le lendemain. Il se serait mis à marcher sur la glace avec son berger allemand, sans doute pour fuir les lieux du drame. Ils se sont noyés tous les deux. Le meurtre a été résolu grâce à des analyses d'ADN. Alexandre Archebishop avait laissé des empreintes sur le couteau, trouvé sur les lieux du drame. Le dossier a été classé après la découverte de son corps sur la rive, le 11 mars 1995. Le meurtrier est mort noyé le jour même du drame.

Marina avait non seulement donné naissance à un meurtrier, mais elle avait perdu son fils.

— Ma vie me dégoûte, Paul-Henri.

C'est Marina, cette femme de bonne famille, un peu bourgeoise, qui pleurait dorénavant. Sous une veste noire, elle portait une chemise vert pâle. Son ex-mari avait, lui, enlevé son veston noir et arborait simplement sa chemise hawaïenne.

— Je suis désolé, lui répondit-il.

— Je voudrais mourir.

Il y eut un silence de plusieurs minutes.

— Nous avions hésité à le garder, tu t'en souviens? lui dit Marina.

— Pourquoi tu dis ça? Non. Nous n'avions pas hésité.

Paul-Henri posa sa main sur le genou de son ex-femme.

— Tu ne penses pas ce que tu dis.

— Oui. Nous avions hésité, Paul. Je m'en rappelle très bien.

— C'était pour la deuxième fille. Pour Emmanuelle, un troisième enfant. Nous avions réfléchi, oui, c'est vrai. Pas longtemps.

— C'était pour Alexandre, renchérit Marina.

— Non. Alexandre, nous l'avons désiré de toutes nos forces. Il n'y a jamais eu d'hésitation. C'était notre premier. Il était notre cadeau du ciel.

— Peu importe.

— Arrête de t'en vouloir, Marina.

— Ne m'empêche pas de culpabiliser, jamais. Pourquoi parles-tu de ça ?

— De quoi ?

— D'oublier. D'abdiquer. Cesse de parler.

— On ne va pas se chicaner.

— Tu ne me connais pas, tu as cessé de me connaître il y a très longtemps. Laisse-moi faire.

Elle s'alluma une nouvelle cigarette.

— Tu es comme un inconnu pour moi.

Elle inspira la fumée.

— Un parfait inconnu.

Il soupira en secouant la tête.

— Tu m'en voudras toujours, Marina. Comme Alexandre.

— Comme Alexandre ? Mais tu es fou ?

— Je veux dire : je t'ai trompée, tu m'as laissé, mais je t'aime encore, Marina, et tu vas me faire chier toute ma vie.

— Tu ne m'aimais pas pour me faire ça.

— Oui, je t'aimais.

— Non. Je sais que non. Ce n'est pas ça, *aimer*.

— Pour moi, oui, ça n'a rien changé. C'était une bête aventure. Pour toi, ç'a tout changé. Je comprends, ç'a ruiné quinze ans de mariage. Tout détruit. Je t'ai déçue.

— Oui.

— Je sais. Je te dégoûte. Tu m'as fait disparaître.

Il secoua la tête, replaça ses lunettes sur ses yeux et appuya sa tête dans ses mains.

— Cette aventure d'une heure a gâché ma vie au complet.

Marina n'en revenait pas, qu'il parle de « cette heure », et pourtant il était très sérieux.

— C'est ça.

Une femme descendit, qu'ils ne connaissaient pas. Elle fit le tour de la salle en fumant, puis remonta.

Marina retenait sa question.

— Qu'est-ce que tu savais d'Alexandre ?

Marina le regardait à présent, tentant de percer le noir de ses lunettes.

— C'est une bonne question.

Il tirait sur son cigare.

— Rien, au fond. Il ne me parlait pas beaucoup. Il ne voulait pas avoir besoin d'un « père ». J'aurais aimé, pourtant, qu'il ait un peu besoin de moi.

— C'est vrai.

— Nous étions si différents. Moi, vieux caporal ; lui, poète. Il tenait de toi, *british* comme toi. Secret comme toi… Toujours dans tes jupes.

— Il n'était pas très sportif, c'est vrai. Mais tu ne l'amenais jamais à ses parties de hockey. Jamais. Tu oubliais toujours ! Ça, ç'aurait pu l'aider. Le sport d'équipe.

— Nous ne savions pas.

Elle s'appuya sur le dossier du divan, assaillie par l'angoisse. Elle imagina Paul-Henri revenir à la maison, refaire le lien avec leur fils, blessé par leur divorce.

— Nous aurions dû insister pour qu'il nous présente sa copine. Pourquoi ne jamais l'avoir invitée à la maison, aux fêtes ? Lorsqu'on se retrouvait tous ensemble pour les enfants ? demanda Marina.

— Combien de temps sont-ils sortis ensemble au juste ? Quelques semaines ?

— Non ! Au moins un an et demi.

— Ç'a passé tellement vite. Il me disait toujours que ce n'était pas sérieux avec Lorraine. C'est simple : il avait honte. Un Noël de divorcés, ce n'est pas très joyeux.

— Non, Paul, il devait y avoir une autre raison. Nous aurions dû nous en douter.

— De quoi ?

— Il voulait cacher ce qu'il vivait, il minimisait l'importance de cette relation, la fureur de ses sentiments amoureux. Sa pudeur. Son extrême vulnérabilité.

— En fait, ça nous arrangeait sur le coup. On pensait vraiment que ce n'était pas sérieux.

— Et ce samedi où elle l'a laissé. C'est chez toi qu'il est allé, Paul.

— Il avait quitté son appartement, il voulait dormir chez moi. Il s'est enfermé dans la chambre d'amis comme un ermite. Nous sommes sortis seulement pour aller au restaurant. Il était brisé, pleurait tout le temps au-dessus de son hamburger, qu'il faisait juste effleurer de sa fourchette. Il s'est écroulé sur la table dans des soubresauts. Il pleurait tellement fort que les gens aux tables voisines se sont retournés. Sa fragilité m'est apparue alors, j'en ai eu très peur.

— Tu as eu honte de lui ?

— Peut-être. Je ne savais pas quoi faire.

— Au lieu de le consoler ?

— Oui. Quand tu n'es pas là, je n'y arrive pas. C'était un projet à deux.

Marina hochait la tête.

— Un enfant n'est pas un projet, franchement…

Paul ne disait jamais les bons mots, selon Marina. Il était habitué.

— Alors, pourquoi il n'est pas allé chez toi? Il s'est « projeté » chez moi, chez son père, dans la souffrance, dans ma souffrance. Il ne voulait pas s'aider. Avoir vraiment voulu en parler, s'en sortir, il serait allé te voir.

— Non, parce que, parce que… il a sans doute eu besoin que son père lui parle, d'homme à homme, de la peine de perdre sa blonde. Du sentiment de *loser* qu'on ressent à ce moment-là. Parce que tu es un homme et que tu devais le comprendre.

— Il était si seul. J'étais si seul aussi, à ce moment-là, Marina.

Paul-Henri se remit à pleurer. Il reprit:

— Quand tu n'es pas là… Quand tu es partie…

Il pleurait, la tête entre ses mains, maintenant. Il se vidait.

Marina lui caressa l'épaule en lui parlant tout bas.

Paul-Henri la prit dans ses bras, secoué par les sanglots, il la serra de toutes ses forces, par peur et par amour. Leur amour pour leur fils se débattait pour exister et pour se taire.

Les deux sœurs arrivèrent au sous-sol à ce moment-là; leurs amies venaient de partir. Emmanuelle et Kate enlacèrent leurs parents. Des employées descendirent installer le buffet pour une autre famille, dans la pièce à côté. Ils ouvrirent deux bouteilles de vin blanc et préparèrent la table. La famille Archebishop-Lapointe se serrait, se serrait pour ne rien laisser partir d'autre, avant de se disperser à nouveau. Paul-Henri se leva et essuya ses joues sur les joues de ses filles, la main de Marina dans la sienne. Il l'embrassa et partit saluer son fils une dernière fois, seul, en tête à tête.

En sortant du cimetière, un peu plus tard, Marina dit aux autres :

— Venez, on va manger un hamburger.

— On pourrait aller voir un film après ? dirent en même temps Kate et Emmanuelle, riant et se poussant l'une l'autre, en s'accusant de se copier.

— Deux films de suite, ajouta Paul en poussant ses filles devant lui et devant son ex-femme.

Les deux filles saluèrent l'heureuse ambition de leur père, Emmanuelle attrapa sa grande sœur par les épaules.

Restée dans le sous-sol du salon funéraire, l'âme d'Alexandre, errante et frigorifiée, cherchait à se réchauffer dans un fumoir maintenant vide. Il prit un mégot, y vit le rouge à lèvres de sa mère, le reposa et ramassa un cigare. Intrigué, il reconnut aussitôt la marque que son père avait l'habitude de fumer. Il s'assit en se croisant les jambes, l'alluma à l'aide d'un briquet oublié sur la table et essaya d'être à nouveau quelqu'un, puis, effrayé par sa solitude et par la couleur pourpre du bout de ses doigts, il s'éclipsa vers l'autre monde comme seul un monarque anglais en est capable.

Table des matières

Dans la même collection

Suivez-nous :

Achevé d'imprimer en mars deux mille treize
sur les presses de l'imprimerie Gauvin,
Gatineau, Québec